ピエルドメニコ・バッカラリオ／フェデリーコ・タッディア 著
毛内拡 日本版監修　有北雅彦 訳　クラウディア・ペトラッツィ 絵
脳神経科学者

いざ！
探Q

頭のなかには何がある？

脳をめぐる15の疑問

太郎次郎社エディタス

もくじ

1 考えるって、どんなしくみ？ …… 5

2 脳では何が起こってる？ …… 17

3 私と頭、どっちがご主人？ …… 25

4 脳は世界をどうやって感じる？ …… 31

5 脳のなかでの役割分担って？ …… 41

6 他人の考えを理解するには？ …… 51

7 記憶って、なんだろう？ …… 59

8 恐怖とつきあう方法は？ …… 69

9 アイデアはどこからやってくる？ …… 83

10 なぜ、眠らないといけないの？ …… 93

11 知能は測定できる？ …… 103

12 脳は学ぶのが好き？ …… 109

13 脳をだますことはできる？ …… 117

14 脳も病気になるの？ …… 125

15 AIは脳を超えられる？ …… 133

じゃあ、またね …… 139

日本版監修者あとがき …… 141

1 考えるって、どんなしくみ？

ねえ、きみ。そう、きみに話してるんだよ。
　わかったね。よし、この本を書いているぼくたちも、そのことがわかった。おや、どうしてわかるのかって？
　きみにもぼくたちにも、脳があるからだ。
　脳はきみの頭のなかにあって、そのおかげできみは考えることができる。何を考えてるのかはともかく、きみに脳があることはわかっている。ひょっとして、きみは、なぜこんな本を読んでるんだろうって考えてる？（ところで、この本を読んでるのはだれかな。きみ？ それとも、きみの脳？）　それか、読むのをやめて、ほかに何かしようって考えてる？　将来のことを、あるいは過去のことを考えているのかも。ま、何をしているにしても、とにかくきみは、そのことについて考えているんだ。

「みんな、脳があるの？」
　そうだよ。
「じゃあ、みんな、何かを考えてるの？」
　そのとおり。
「みんな、同じことを考えてるの？」
　それは違う。
「どうして？」
　その理由は、単純だけど、同時に、とてもややこしい。

　単純なほうの理由を説明をすると、ぼくたちの持つ脳は、どれもほぼ同じようにつくられている。脳のなかでは無数の特殊な細胞が、微弱な電気信号を発して、つねにビリビリしてるんだ（だいじょうぶ、電気ショックみたいなやつじゃないよ。気づかないくらいの電気信号だから）。

　脳は頭のなかにあり、眠っていても、けっしてスイッチが切れることはない。そして、そこから体中に枝葉を広げているんだ。

　つぎに、ややこしいほうの説明に移ろう。脳は、どれも同じように見えても、ごくわずかな違いがめちゃくちゃたくさんあって、人それぞれ、違う働き方をしているんだ。

　だれもがタニア・カニョットのように飛込競技をすることや、ウィリアム・シェイクスピアのように戯曲を書くことができない理由は、それさ。きみの脳は、カニョットやシェイクスピアのものと同じしくみなのに。まったく同じだけど、同時に、ぜんぜん違うものなんだ。

脳って、イヤなヤツ？

　脳は、「脳髄」ともよばれる。イタリア語ではencefaloといい、これはもともとギリシャ語で「頭の内部」という意味だ。身体が集めた情報は、すべて脳に届けられ、それが思考へと変わる。指からの情報は「これはやわらかいなあ」、舌からの情報は「だれだよ、パスタに唐辛子入れたの？」、心臓からの情報は「遅刻しないように全力で走ったから、心臓がバクバクして死にそうだよ〜」っていうぐあいにね。

　それじゃ、鏡の前に立ってごらん。

　脳髄は目の奥にある。ここが、きみの身体を動かす司令部だ。じゃあ、くるっと後ろを向いてみて。鏡で自分の背中が見える？　きみの司令部は、背骨のなかにある、小さな情報が通る高速道路みたいなものによって、身体のほかの部分とつながっている。その道路が「脊髄」だ。

　脳髄と脊髄は「中枢神経系」を構成している。神経系といっても、いつもイライラしてるヤツなんかじゃないぞ（それは「神経質」なヤツだ！）。中枢神経系と身体のあらゆる部分とをつなぐ「神経」が、ここからいっぱい伸びているんだ。

　神経は、細いケーブルの束みたいなもので、まわりで何かが起こると、すぐに活性化する。神経はとても敏感なので、何かを見逃すことはない。神経が活性化するたびに電気信号（めちゃくちゃ小さな電撃だ）が発生し、それが脊髄に伝わり、脳に運ばれて、「思考」がつくられる。

　神経が正しく働くためには、血管によって運ばれてくる酸素や栄養分が欠かせない。また、神経が電気信号を発生させるときには、タンパク質が重要な働きをするんだ。

1 考えるって、どんなしくみ？　7

全身に張りめぐらされた神経が「末梢神経系」というもの。これは、身体の特定の部位を見はる小さなガードマンのようなもので、司令部に情報を送り、そこからの応答を受けとるという働きをしている。

　たとえば、親指にある神経が「刺された！」って感じるとする。その情報は脊髄の「高速道路」を通って脳にたどり着き、痛みとして認識される。そして脳から指令が下り、しかるべき行動をとるってわけだ。

　さらに脳は、全身の600以上の筋肉をとても器用にあやつっている。本を読んでいるとき、当然、目は動いているけど、足や手の指も動いている。同時に、まわりの音に耳を傾け、心臓は鼓動を続け、肺はふくらんだり縮んだりし、胃はおやつに食べたチョコレートケーキをがんばって消化している。

　脳は、歩いたり、走ったり、食べたりといった動作を指揮している。きみにとってはごくあたりまえの動作かもしれないけど、はるかな祖先の時代から、気が遠くなるような長い時間をかけて学んできたことだ。

　脳はいちど覚えた動作を忘れることはない（ふつうはね）。いったん自転車に乗れるようになれば、そのあとずっと乗れるように、歩くことや噛むことも、いちど身につければ、忘れるほうが難しいほどなんだ。

1　考えるって、どんなしくみ？　　9

一世一代の大仕事

ホヤという動物の仲間は、一生のうちにいちどしか考えることをしない。海中に住み、体は筒状で、なかには透明でカラフルな縁どりのあるものもいる。岩に張りついてつねに口を開け、エサが通りかかるのを待ち、吸いこんで消化する、というライフスタイルだ。脳を使うのはお気に入りの岩を探すときだけ。いちど見つけたら、ハイ、おつかれさま！岩にくっついて、脳のスイッチを永遠に切ってしまうんだ。

ゆらゆら

ニューロンさま、万歳！

脳は、「ニューロン」という特殊な細胞と、それをサポートする細胞や血管でできている。これらのおかげで、きみは歩いたり、見たり、聞いたり、においをかいだり、さわって感じたりできる。そして、それらの動作のあとにはじめて、思考がやってくる。

つまりはこういうことだ。動くのがさき、考えるのはあと。

ライオンに出くわしたら、まずは一目散に逃げるだろ？「なんとか逃げきったぞ」って考えるのはあとからだ。

ニューロンは、きみのすべての思考と動作をつ

数字の話

頭のなかや体じゅうに伸びた神経系には、膨大な数のニューロンが存在している。ざっと数えて、なんと800〜900億個もあるんだ！

かさどっている。意識的なものと無意識的なもの、本能的なものとじっくり考えたうえでのもの、すべてをだ。

人間だけじゃなく、すべての動物がニューロンを持っている。例外は海綿動物だ（海中に住むスポンジみたいな生きもので、じっさいにスポンジとして使われたりもする）。

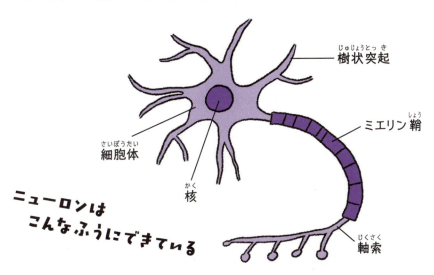

ニューロンはこんなふうにできている

ニューロンの中心部には、ほかの細胞と同じように、核と遺伝情報がある。核は司令部のようなもので、遺伝情報は取り扱い説明書のようなもの。

ニューロンがほかの細胞と違うのは、まわりにある長く伸びた部分だ。なんだかボサボサの髪の毛みたい？　それとも、木の枝みたいに見える？　そう、これは**樹状突起**とよばれるもので、あらゆる方向に伸びている。びっしり生えているも

樹状突起

その名のとおり、核から伸びた突起が樹木の枝のようにからみあい、携帯電話が電波を探すように、電気信号を探している。信号が強ければ強いほど、樹状突起は活性化するぞ。

1 考えるって、どんなしくみ？　11

のもあれば、まばらなものもある。

　ニューロンは、「神経伝達物質」とよばれる特別な化学物質をスイッチのように使って、おたがいに情報を伝えあっている。

　そのやりとりのなかで、樹状突起は、アンテナの役割を果たし、別のニューロンからの信号を受けとると、それを軸索に伝える。これは、つぎのニューロンに信号を手わたすための部分だ。

　ニューロンどうしの情報の伝達のしかたについては、つぎの章でもっとくわしく見ていくよ。

哺乳類に至る脳の歴史

6億年前

ニューロンを持つ最初の生物は、クラゲに似た生きものだった。外からの刺激を受けて信号を発し、決まった動作をおこなうことができた。

5億4000万年前

ニューロンたちは、集合して「神経節」とよばれるグループを形成しはじめた。脳を持つ生物も、このころ現れる。最初の脳のしくみは、ハエが、空間を飛ぶために使用している脳のしくみとほぼ同じレベルのものだった。

> **5億3000万年前**
>
> ヒトの脳と同じく役割分担した脳を持つヤツメウナギなどの仲間が現れる。その後、魚類、両生類、爬虫類、鳥類と、生物の進化にあわせて、その脳も進化していく。

> **1億7000万年前**
>
> ついに最初の哺乳類が誕生する。それがやがて、ホモ・サピエンス（考えるヒトという意味）に進化する。ぼくたちの遠い遠いご先祖さまだ。

考えるヒト

　哺乳類にはふたつの重要な特徴がある。ひとつは、脳がほかのどの動物よりも大きいこと。もうひとつは、脳が頭蓋骨でおおわれていること、つまり、骨で保護されていることだ。

　哺乳類は、その出現以来、ほかの哺乳類とのあいだで、脳髄（覚えてるかな？　神経系全体の司令部のことだ）の大きさと、そのうまい使い方を競ってきたといえるだろう。だから競争心は、はるか昔からぼくたちがもっている性質なんだ。

　ヒト（ホモ・サピエンス）は、身体の大きさに対して、脳がもっとも大きいヒト科の動物だ。

　でも、なぜ、そうなったのが、ぼくたちヒトなんだろう？　なぜ、馬じゃなかったんだろう？　その理由は、基本的にはふたつだ。

1　考えるって、どんなしくみ？　13

ひとつめは「姿勢」だ。ぼくたちヒトは二足歩行で、頭が背骨の上にとてもバランスよく乗っかっている。

　一方、馬は頭が前につき出ている。だから、頭があまりにも重いと、支えるのが難しくなってしまう。とくに走るときには、バランスをとるためにとても長いしっぽが必要になる。

　だけど、二足歩行だと、まず首と背骨で頭を支え、さらに、骨盤と足でも支えることができるので、大きく重くなった頭を支えることができるんだ。

　また、二足歩行によって、両手が自由になった。これにより、親指をほかの指と向かい合わせにできる運動機能が発達した。このようにして、ぼくたちヒトは、複雑な動作ができるふたつの手を手に入れたんだ（コラ〜、鼻をほじるんじゃない！　せっかくのすばらしい手がもったいないぞ！）。

　ホモ・サピエンスの脳が発達したふたつめの理由は、「言語」だ。ぼくたちは「社会的動物」であり、共同体のなかで生きることを選んだ。共同体をつくり、時の流れのなかで改良を重ね、そのあり方をより複雑にしてきた。もはや、いっしょに移動したり狩りをしたりするだけじゃない（オオカミやある種のサルのように、知的な動物は群れで狩りをおこなうが、ぼくたち人間による高度なコミュニケーションとはまるで違う）。共同体のなかで起こる問題も、必要な解決策も多様化して、複雑なことを考える必要が生まれた。それにつれて、言語も進化した。それが脳の発達につながったんだ。

2
脳では何が起こってる?

　きみの考えていることが、無数の小さな思考の断片に分けられ、ひとつひとつをそれぞれのニューロンが預かっていると想像してごらん。何億個もの小さなピースからなる巨大なジグソーパズルのように、正しいピースをすべてそろえるまで、最終的な全体像はわからないんだ。それでも、パズルを完成させるために必要なピースは、きみの頭のなかに、すでにある。

　なんだかややこしいな〜って？　よし、わかりやすくするために、ニューロンをパズル（＝きみの思考や行動）のピースそのものだと考えてみよう。それぞれのニューロンは、できるだけ大きなパズルをつくるために組み合わさり、できあがったらすぐに、別の新しいパズルをつくるため、別のグループと組み合わさっていく。

　せっかくつくったのにって思うかもしれないけど、ニューロンたちはパズルづくりが大好きだからね。神経伝達物質（ニューロンのスイッチを入れる役割をもつ分子）を使って、しょっちゅう会議をし

17

ている。

「おまえたち、身体を動かすぞ！　希望者はいるか？」。神経伝達物質の呼びかけに、ニューロンたちが答える。「どこを動かすの？」「足だ」「走るってこと？」「そうだ」「だれが太ももを担当する？」「ぼくがやるよ！」「じゃあ、ふくらはぎは私がやるね」「手と腕も忘れるな。バランスをとって転ばないようにするために必要だぞ」「ぼくがやるよ！」「私が！」「ぼくが！」

　走ろうとした理由や走り方（上り坂や下り坂、急いで、ゆっくり、靴をはいて、はだしで、音楽を聴きながら、呼吸に集中して、などなど）がなんであれ、きみのなかでは、いつも同じ化学的な反応が起こっている。それは、つぎの2段階の手順からなっている。

ステップ1

　ニューロンの外側は液体で満たされていて、その液体にはナトリウムイオンがふくまれている（食塩をつくる分子もナトリウムだ。だから、この液体は少ししょっぱいぞ！）。ニューロンの膜はナトリウムイオンを通さない。膜に埋めこまれた、受容体とよばれるタンパク質が、マンホールのふたみたいな役割をしているんだ。

　神経伝達物質は、マンホールにやってくると、ふたをノックして開けてもらう（これがスイッチの役割だ）。そこでようやく、くぐり抜けることができるようになり、ナトリウムイオンたちは急いでなかに入る。

　神経伝達物質がひとつだけなら、ふたはすぐに閉じられるので、なかに入れるナトリウムイオンは少しだけで、ニューロンのなかのポンプシステムによってすぐに外側へ吐き出されてしまう。

　でも、神経伝達物質の数が多いとき、つまり緊急で重要な信号の

場合は、同時にたくさんのふたが開くので、たくさんのナトリウムイオンが入ってくる。

ステップ2

　ここからは、つぎのページの絵を見ながら読んでほしい。たくさんの電気を帯びたナトリウムイオンがやってくると、樹状突起は飛びおきて、細胞体に信号を伝える。その結果、発生した電気ショック（放電）が軸索を伝わって先端に届く。こうして、つぎのニューロンに情報を渡していくんだ。

　ニューロンどうしが触れあう部分は「シナプス」とよばれる。ギリシャ語で「接続」とか「接触点」を意味することばだ。こんなふうにして、神経伝達物質のおかげで電気信号は伝わっていく。タッチされたら、つぎの子にタッチして……って、まるでニューロンたちが鬼ごっこをしてるみたいだろ？

　そして、これは長く続く電気信号の旅のはじまりでもある。これらの作業は、秒速100メートル以上という猛スピードでおこなわれている。それは、きみの身体が生命活動を続けているあいだずっと、数えきれないほど何回もくり返されているんだ。

2　脳では何が起こってる？　　19

ニューロンのかたちをおさらいしよう

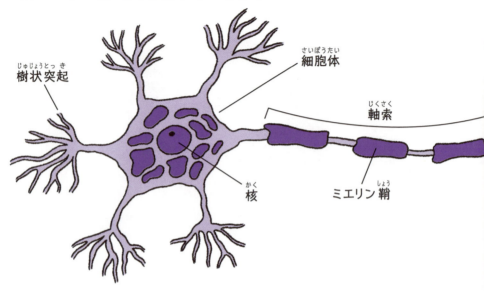

ニューロンどうしが接触するところをシナプスとよぶ

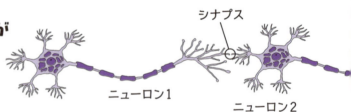

シナプスを拡大してみると……

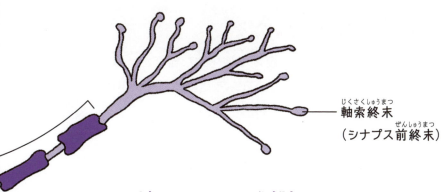

軸索終末
（シナプス前終末）

指先から脳へ、ビリビリ情報リレー

　つまり、きみがちょっと何かを考えたり、わずかに動いたりするだけでも、小さなエネルギーの爆発（放電）が起こっているってことになる。化学的な粒子がニューロンを刺激し、軸索を伝わる電気ショックが別のニューロンを目覚めさせ、連鎖的に、ほかのニューロンを活性化させていく。

　つぎからつぎへとおし寄せる波のように、情報は末梢神経系の枝葉にそって移動し、背骨にある脊髄に至り、脳にまでのぼってくる。

　ひとつひとつのニューロンがネックレスのビーズ1個1個だとすれば、たがいにつながった軸索は、ネックレスのひものようなものだ。軸索は、情報の流れを束ねていて、なかにはめちゃくちゃ長いものもある。足の指先から脊髄を通って、脳までつながってるやつもあるからね。無数の信号を運んでるんだ。

　これによって運ばれるのは、ありとあらゆる種類の情報だ。警告のメッセージ（はだしでウニを踏んじゃった！）、筋肉を活性化させるメッセージ（あのボールを打つためにジャンプしなくちゃ！）、リラックスさせるメッセージ（コップをちゃんとテーブルの上に置けたから、手を放してもいいよ）、楽しいメッセージ（いい天気だなあ！）、イヤなメッセージ（なんてひどいにおいだ！）などだ。

2 脳では何が起こってる？　　21

めちゃくちゃすごいプリンだぞ

　脳は身体のなかで、もっとも複雑で神秘的な器官だ。ほんの120年ほどまえまでは、いったいどういうふうに機能しているのか、まるでわかっていなかった。肝臓、腎臓、肺など、ほかの多くの臓器はすでに解剖され、そのしくみが解明されていたのに、脳は「重さ1.5キロの白っぽくてやわらかい、プリンみたいなもんだろ？」くらいの認識しかなかったんだ。

　だけど、現在では、完璧なマニュアルのもとに高度にシステム化された、めちゃくちゃ機能的な器官であることが解明されている。

　たとえば、きみが友だちに腕をさわられたり、好きな音楽を聴いたりしたとしよう。そのとき、きみが得た情報は、ごちゃごちゃに混ざって脳に届くわけじゃない。におい、感覚、記憶、予測、イメージなど、それぞれの情報は、専用の特別なルートをたどる。軸索上でバランスをとりながら脳にたどり着き、その情報を専門に扱う脳の領域に分類される。

　脳は大きなマンションみたいなものだと考えてみよう。だれか（＝もうすでに考えたこと）が住んでいる部屋と、たくさんの空き部屋がある。新しくやってくるだれか（＝これから考えること）が住めるように、あえて空き部屋にしてるってわけ。

数字の話

ニューロンの細胞体の直径の平均は3〜18ミクロンで、樹状突起もふくめると100ミクロンになる（1ミクロンは1ミリの1000分の1）。軸索のなかには10センチから1メートルにおよぶものもあるそうだ。これは、細胞体をテニスボールの大きさだとすると、2〜3キロ先まで信号を送っていることになるんだ。

パンク防止の仕分けシステムも完備

　脊髄にそってやってくる情報を迎えいれ、つぎの部屋に送るために分類するのが「視床」とよばれる部分だ。

　いくつかの情報は、視床の下にある部分、その名も「視床下部」（そのまんまだな！）とよばれる部屋に送られる。視床下部は、きみがとくに「働け」と命令しなくても、必要におうじて自動的に起こる身体の働きをコントロールしている。たとえば、のどが渇いたりおなかが減ったり、暑い寒いって感じたりするメカニズムは視床下部の働きだ。無意識に出てしまう咳やくしゃみなんかも、これにふくまれる。

　きみの脳がしっかりと決定の判断を下さなければならない情報は、視床で分類され、それぞれを解釈し、正しい意味を与え、反応を組み立てるために最適な脳の領域に送られる。

　このように、脳は、しっかりと考えて答えを出すべき情報と、考えるまでもない情報を、まず仕分けているんだ。受けとったすべての情報をいちいち考えて処理していたら、きみの脳はパンクしてしまうだろう。

3

私_{わたし}と頭、どっちがご主人？

き みの頭は、きみ自身であると言ってもいい大事な部分だ。でも、それ以外の部分も忘_{わす}れちゃいけない。

脳_{のう}はすべての行動をコントロールする指令室であり、感情_{かんじょう}、思考、創造性_{そうぞうせい}、知性_{ちせい}などをつかさどる本拠地_{ほんきょち}（中枢_{ちゅうすう}）だ。それじゃ、きみ自身ときみの脳、どちらに知性が宿っているんだろうか。わからないことはいつまでもわからないのか、それとも、なんとかして理解_{りかい}することができるのか。きみが感情を感じているんだろうか、感情がきみを感じているんだろうか。

いずれにせよ、感じたことはすべて、身体_{からだ}のあらゆる部分から、感覚器官につながった神経線維_{しんけいせんい}のネットワークをとおして、きみに届_{とど}けられる。これこそが、きみ専用_{せんよう}のライブ・ストリーミングチャンネル「マイ・ライフ」だ。Wi-Fi_{ワイファイ}じゃなくて、すべて有線接続_{ゆうせんせつぞく}でおこなわれている。なに、時代遅_{じだいおく}れだなあって？　うーん、でもそれより残念なのは、チャンネル登録者数が永遠_{えいえん}にきみひとりだけだ

25

ってところかな。ドンマイ！

なるべく考えさせない、脳の省エネ術

　情報を受けとり、解釈し、伝達するためには、エネルギーを必要とする。だから脳は、「エネルギーをムダづかいしない」という機能をもっている。いちどに使うニューロンの数を10～15％以下に制限してるんだ。

　「人間は脳全体の10％しか使っていない」という話を聞いたことがあるかな？　うん、まちがいじゃないんだけど、より正確には、「いちどに使うのは10％」という意味。すべてを同時に使うのは無理だけど、その能力じたいはフルに使っているんだ。

　自転車に乗るとき、脳のニューロンは、ペダルをこぐ、バランスをとる、道の荒れぐあいを確かめる、景色を見る、友だちとおしゃべりする、イヤホンから聴こえる音楽を口ずさむ、などの行動に使われている。

　脳は、どれかひとつのニューロンだけじゃなく、たくさんのニューロンがインターネットみたいなネットワークをつくって、やりとりしながら機能している。数百万年前からずっとこのやり方だ。

　ニューロンが軸索によってやりとりする電気信号には、種類の異なるさまざまな信号が存在する。電気信号が強ければ、そのぶん強くニューロンを刺激するってことだ。考

数字の話

脳は、その機能を維持するために、平均して20ワットのエネルギーを消費する。これは電球1個を光らせることができるエネルギーだ。

えるよりもさきに、思わず身体が反射的に動いてしまうような場面を想像してごらん。たとえば、きみが海で泳いでいたら、だれかが「サメだ！」って叫んだ。驚いて見ると、水面から背びれが突きだしてる！　どうする？　考えてるヒマはないぞ、逃げろ〜！

　ふう、うまく逃げきったかな？　とっさの行動が命を救うものだからね。ときには、とんでもない失敗につながることもあるけど……。まあそれはさておき、あれこれ悩まないのって、ほとんどエネルギーを消費しないという点で、脳にとっては大助かりなんだ。
　逆に、何かをじっくり考えなければいけないとき、脳は多くのエネルギーを必要とする。ニューロンはより多くの酸素を必要とするため、心臓はより多くの血液を脳に送りこむ。それで、こみいった思考を長時間続けると、どっと疲れてしまうってわけ。

3　私と頭、どっちがご主人？

脳はとにかく、考えるということに時間をかけたくないんだ。だから、もう考えなくてもできるとわかったことについては、いちいち深く考えずにショートカットして、処理の手間を省いてしまう。

たとえば、友だちの家にはじめて行くときのことを考えてみよう。どうやって行けばいいのか、迷わないようにするにはどうすればいいのか、頭をフル回転させて、細部にまで気を配るだろう（これは複雑な「遅い思考」だ）。でも、何度か同じ道をたどっているうちに、ほとんど何も考えずに行けるようになる。このように、考えるというプロセスをできるだけ省いて単純化したものを、「速い思考」とよんでいる。

だからこそ、ある状況についてじっくり考えたいときは、この「速い思考」の罠にはまることなく、意識して「遅い思考」を心がけないといけない。

たとえば、大好きなシュークリームを見ると、きみの脳内では「すぐに食べちゃえ！」っていう「速い思考」の信号が鳴り響く。これをがまんするためには、大きな労力（複雑な「遅い思考」）を使わなければならない。

ギャンブル中毒や、怒り、恐怖なども、これと同じような脳の機能だ。ものを壊したり、理由もなく逃げだしたりするのもそうだ。衝動的な行動に走らないように、「落ち着いて！」と自分に言いきかせる必要があるんだ。

脳の働きを調べる方法

このような脳の働きは、ごく最近になって発見された。なぜなら、研究のためには、生きている人間の脳を調べる必要があるからだ

（もちろん、頭を破壊することなく！）。そのために編みだされた最初の手段が、脳波の測定だった。電極がたくさんついたものを頭にかぶり、その電極で、頭蓋骨をとおして、脳内の電気活動を読みとって記録することができるようになったんだ。

　現在では、磁気共鳴機能画像法（fMRI）も使用されている。これは、巨大なドーナツ状の装置のなかに横たわって、脳を傷つけることなくスキャンし、脳のどの部分がより活発に活動しているかを、酸素の消費度合いによって測定するものだ。
　装置のなかには磁場が働いていて（人体に害はないから安心して！）、単純なものから複雑なものまで、さまざまな質問をされる。このときの脳の状態を観察することで、脳のどの領域が思考を担当しているのかや、五感を使ったり、感情が動いたりするときには、脳がどんなふうに働いているのかを研究することができるんだ。

4 脳は世界をどうやって感じる?

　クラシック音楽のコンサートにいったことはあるかい?
　きみの脳は、オーケストラのそれぞれの楽器であると同時に、それらをテンポよく最適なバランスで演奏させる指揮者でもある。おもな楽器は、視覚、触覚、味覚、嗅覚、聴覚の5つだ。
　感覚のほとんどは、身体の特定の器官の活動からもたらされる。
　視覚は、光の刺激を拾う能力をもつふたつの目から。聴覚は、自分のまわりの音波の変化、つまり空気の振動を感じとることができる耳の働きによる。嗅覚は鼻からだけど、口も少し助けてくれる。
　味覚は、口のなかに入ったものの分子を、舌の表面のさまざまな場所が分析することによって得られる。だからだね、赤ちゃんがおもちゃを口に入れるのは。食べられるものとそうでないものを見分ける訓練をしてるんだ。
　触覚を得られる場所は、身体全体の皮膚に広がっている。手の指

なんかは、身体のほかの部分よりも、はるかに敏感な触覚をもっている。

目は奇跡のテクノロジーだ

　目は、外部の刺激をとりこむための、とても重要な器官だ。脳はこの作業に、もっとも多くのニューロンをつぎこんでいる。そのため、ぼくたちヒトをふくむ霊長類は、哺乳類のなかで唯一、すべての色を見ることができる。これを3色型色覚という。

　ほかにも、ワシのように細かい部分をすばやく拡大して見る能力や、チョウのように紫外線を見る能力、ヘビのように赤外線で熱を識別する能力をもつ動物もいる。

　光が目に入ると、瞳孔を通って、網膜にたどり着く。網膜は、特殊な細胞でできた、映画のスクリーンみたいなものだ。光の粒子（光子という）は、網膜の上に、まるで雨粒みたいに降ってくる。小雨みたいにぽつぽつと降るときもあれば、大雨のときもあり、ゲリラ豪雨みたいに激しいときもあるぞ（これはまぶしくてたまらない！）。

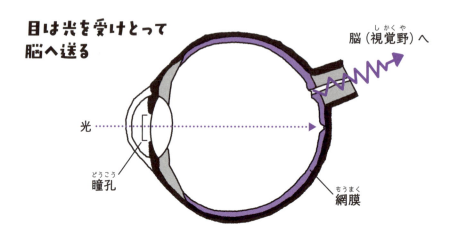

光子を受けとった細胞は、そこにつながっているニューロンを活性化し、情報を軸索に送りだす。こうして光の情報は脳に入り、脳のいちばん外側にある「大脳皮質」までやってくる。

映像はパズルみたいに視覚野で組み立てられる

　すると、目を担当する部屋である「視覚野」という部分で、パズルのように、映像へと組み立てられる。それが1秒間に何千回もおこなわれている。だから、目から脳には無数の電気信号が送られているんだ。

　網膜には、片目だけで1億個以上の光受容細胞（視細胞）があり（そのうち600万個が色を認識できる細胞だ）、それらを脳に伝える100万本の神経線維がある。まるで超高解像度のカメラみたいだ！

脳は、見ているもののイメージを組み立てるときに、まずその輪郭からはじめる。いちばんはじめにやる作業は、形を認識することだ。手であれ、本であれ、樫の木の葉っぱであれ、その形を決定づけているいちばん外側の部分の光子から組み立てていくんだ。

　人の顔についても、そう。なじみのある形であれば、すぐに認識できるけど、そうでないものは、何度も見なくちゃいけない。でも、そのうちに脳がその形を記憶し、知っているものとしてリスト化していく。

　葉っぱで試してみよう。いまはほんの少ししか葉っぱの種類を知らないかもしれない。でも、がんばってほかの種類も覚えてみよう。いったん覚えたものは、一瞬で認識できるようになる。

私のこと、わかる？

　ぼくたちは、知ってる人の顔であれば、その10〜15％の部分を見ただけで、それがだれの顔かわかる。でも、なかには、そのように顔を認識する能力をもっていない人がいる。これは脳神経系の機能障害の一種で、「相貌失認」（失顔症）とよばれる。あのブラッド・ピットも、この障害をもっている。だから、ブラッド・ピットに会ったとき、あいさつしてくれないからって怒っちゃダメだぞ！

ちゃんと見えるかな？

　ぼくたちの脳は、ときどき優秀に働きすぎて、ありもしないものを見ていると思いこんでしまったり、現実とかけ離れた認識をしてしまうことがある。これを「目の錯覚」という。

　下の絵を見てごらん。まず、左の絵。２本の紫の線は、上にある線のほうが長い？　短い？　それとも同じ？

　つぎは右の絵だ。どの線がいちばん長い？

　左の絵では下の紫の線が短くて、右の絵では真ん中の線が長いと思った？　だったら、まんまと目の錯覚にはまっちゃったね。でも、問題ない！　長さをちゃんと測るなどして、それがまちがいだって脳が学習すると、つぎからはまどわされずに見えるようになるからね。

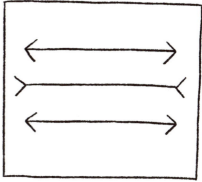

味わう、聴きとる、嗅ぎわける

　味覚、聴覚、嗅覚も、同じように機能している。情報（味覚でいえば、すっぱい、あまい、しょっぱい、味が濃い・薄いなど）を集める細胞が、情報を脳の適切な領域に伝え、脳がそれを処理して、それぞれにおうじた反応を生みだす。たとえば、あまければ幸せな気持ちが生まれ、苦ければ吐きだすという行動をとる。

　これらの感覚が鋭敏に発達している人もいれば、鈍い人もいる。とりわけ聴覚は、加齢とともに衰えていく。お年寄りに大きな声ではっきりと話さなくちゃいけないのは、そのためなのさ。

　感覚をきたえることが必要な職業の人たちもいる。指揮者や音楽家は聴覚を、調香師は嗅覚を、シェフや料理評論家は味覚を、といったふうに。訓練すればするほど、五感はほんのわずかな違いでも認識できるようになる。たとえば、トウガラシをなめたときのヒリヒリ感の差によってトウガラシの種類を言いあてたり、空気の振動でバイオリンとビオラの音を聴きわけたり、コルクの香りからワインの品質を嗅ぎわけたり。

　特別な訓練を受けなくても、日常生活のなかで、感覚はさまざまな情報と結びついて記憶されている。そのため、あるにおいをかいだり、なつかしい料理を味わったりするだけで、忘れていた記憶がよみがえってくることもあるんだ。

皮膚というセンサー

　ほかの感覚とは対照的に、触覚は全身の皮膚に広がっている。だけど、たとえば、鼻をさわられたからといって、全身の触覚が反応するわけじゃない。脳にある触覚を担当する領域のなかで、鼻専用

のセンサーのスイッチが入り、関連する部分の感覚だけを脳に伝えるんだ。

　触覚がもっとも鋭敏なのは、手（とくに指先）とくちびるだ。だから、ぼくたちはくちびるを使ってキスをするってわけ（おっと、きみたちにはちょっと早かったかな！）。

　それじゃ、きみの触覚をテストしてみよう。コイン（10円玉でもなんでもいいよ）を手にとり、目をつぶって、そのコインをもう片方の腕の上に置いてごらん。たぶん、ひんやりとした感覚と、何かがそこにあるっていう感覚を感じるくらいだよね。こんどは、指でコインをつまんでみる。すると、とたんにその大きさや重さ、輪郭、表面に描かれたデザインなどがクリアに認識できるようになる。

　これはすべて、脳のなかの皮膚感覚を担当する部分の働きによるものだ。この部分は、手、足、ふくらはぎ、背中、おなか、首、指などを担当するパートに細かく分かれていて、それぞれに熱さや冷たさ、快感や不快感を脳に伝える専門の係がいる。

手は最高の宝物

　手は、この触覚をあやつるためにあるといってもいい。ヒトの手は、進化の過程で生まれた奇跡の産物で、世界でもっともすぐれた工作機械でもある。人間の手の動きは、どのロボットにもまねできないんだ。

　人間の手は、29の骨と関節、35の筋肉、100以上の腱、数千の神経から構成されている。指の骨は類人猿みたいに湾曲しておらず、まっすぐだ。指先はとても敏感。10本の指先には1万7000本以上の神経がつながり、感触を脳に伝え、細かな動きの指令を受けとって指先を器用に動かしている。親指はもっとも頑丈な指で、これを9つの筋肉と3つの神経で動かしている。

　手は、握ったり支えたりすることができ、超がつくほどの精密さと同時に、パワーも兼ね備えている、まさに最強の道具だ。

　命令を忠実に実行するだけじゃなく、つねに新しいことを学ぶのに余念がない。さわった物体や素材を分析し、調べ、情報を無限に収集しつづけているんだ。そよ風のようなわずかな圧力や、冷たさや温かさを幅広く感じとることができる。

　感覚ニューロンと運動ニューロンをあわせると、両方の手だけで、脳のすべての活動のほぼ4分の1（だいたい22〜23%だって！）を占めていることになる。

　ちょっぴり大げさかもだけど、手を使って何をするのかが、きみ自身を決定づけるんだ。

　手は、大切で重要なものだ。悪者をこらしめるためにこぶしを振るったり、猫をやさしくなでたり

数字の話

ヒトの手は、約260万年前にいまの形になった。かなりのご長寿だね！

もする。また、ジュエリー職人が指輪に細工をほどこすときのミリ単位の精密さや、バスケでスリーポイント・シュートを決めるときの正確さを実現できる手は、驚異的かつ神秘的な能力に満ちている。

　手は、すぐれた道具であると同時に、脳が世界を感じるための大きな役割を果たしている。記憶に匹敵するくらい、きみが持つすばらしい宝物のひとつなんだ。

親指なし生活に挑戦だ

　ここで実験の時間！　親指を手のひらにくっつけて、テープで2、3周ぐるぐる巻きにする。友だちに手伝ってもらって、もう片方の手も同じふうにやってもらおう。その状態で1時間、部屋のなかで過ごしてごらん。親指の偉大さがイヤになるほどわかるはずだよ。

4　脳は世界をどうやって感じる？

5 脳のなかでの役割分担って？

き みの頭のなかにあるのは、家というよりも、もはや豪華なホテルだ。専門家によれば、脳には、少なくとも360の部屋があるという（たいてい、そのなかはさらに小さな部屋に区切られている）。ホテルは左右のパートに分かれていて、それぞれに180部屋ずつ。右と左は「脳梁」とよばれる長い廊下でつながっている。

外から見ると、左右の脳は双子のようにそっくりで、対称になっている。でも、そのなかで起こっていることは、右と左でぜんぜん違う。大事な機能は、右と左が協力しておこなっている。たとえば五感にかかわること、つまり、見たり聞いたりすることや、手を動かしたり、さわったりすることなどだ。

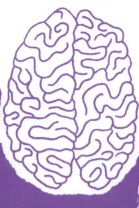

大脳皮質

左脳 — 論理的思考
論理、分析、数、言語、推論、連続性、読み書き、知覚、空間と時間の把握。感情は担当しない

右脳 — 創造的思考
音楽、絵画、創造性、想像力、色、リズム、全体像の把握、直感、妄想。空間と時間は把握できない。愛したり、憎んだり、笑ったり泣いたり

　それ以外の分野は、おもに右脳で管理されるもの（音楽、色、感情など）と、おもに左脳で管理されるもの（論理、数、言語など）がある。あと、ちょっとややこしいんだけど、身体の動きについては、右半身を左脳が担当し、左半身を右脳が担当している。

　脳の表面をおおっていて、ぼくたちの思考や創造力を生みだしている領域のことを大脳皮質という。右ページの絵を見てほしい。大脳皮質は、右脳と左脳それぞれ、前頭葉（おでこから頭の前半分にかけて）、頭頂葉（真ん中の上半分）、側頭葉（耳のまわり全体）、後頭葉（後頭部）に分かれている。後頭葉の下、ちょうど首の上くらいに

> **ウソ？ ホント！**
>
> トップミュージシャンは脳の使い方が違うのかって？　そのとおり。音楽は、ふつうは右脳で処理されるけど、偉大なミュージシャンや音楽評論家は、左脳で処理していることが、1970年代に発見されたんだ。

大脳皮質を横から見たところ

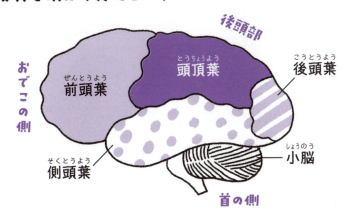

は、小脳とよばれる、ぼくたちの運動機能にかかわっている部分がある。

大脳皮質の右脳と左脳には、それぞれ動きや思考を受けもつエリアがあり、そのエリアのなかは、さらに細かく役割分担されている。

たとえば、言語を担当する領域のなかには、物語を聞くときにだけ活性化するさらに小さな領域がある。視覚の分野では、空間を認識するのが専門のニューロンと、小さなものを認識するほうが得意なニューロンがある（たとえば、「いい風景だなあ！」と感じたときには、空間をとらえるニューロンが活性化し、シャツのボタンをとめるときには、小さなものをとらえるのが得意なニューロンが活性化する）。

でも、ご注意！　現在わかっているのは、特定のエリアが活性化しているということだけ。なぜ、そうなるのかは謎に包まれている。抽象的・芸術的な思考はおもに右脳にあって、論理的・数学的な思考は左脳にあることは判明していても、クリエイティブなアイデアをぽんぽん思いついたり、算数のテストで100点をとったりするための処方箋は存在しないんだ。

狩猟時代から受け継がれている欲求

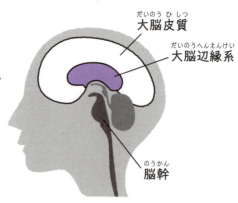

脳には、古い部分と新しい部分がある。人間の脳は、とくに大脳皮質が発達していて、ほかの古い部分と区別するために大脳"新"皮質とよぶこともある。逆に、脳の根幹をなしている、脳幹や大脳辺縁系などは「古い脳」ともよばれ、ほかの動物にも共通してみられる部分だ。

大脳辺縁系のなかには、太古の昔から、狩猟生活をおくるなかで受け継いできた根源的な欲求がうごめいている。心臓を動かすこと、食べたり飲んだりすること、子孫を残すこと、危険に気づいて反応すること、危険に気づくまえに（!）反応することなどだ（空気中にウイルスがただよっている可能性を察知し、免疫システムを作動させるのは、この大脳辺縁系なんだ）。

思いかえしてごらん。きみが「あ〜、おなかがすいた」とか、「のどが渇いたなあ」とか感じたとき、何か具体的なきっかけがあったかい？　きっと、とくにないはずだ。これらはすべて、大脳辺縁系のなせるわざだ。大脳辺縁系の支配下では、てんでばらばらで

44

まとまりのない情報たちが集められていて、きみがそれを意識することはないが、優先順位の高い順に並べられている。身体のある部分で水分が不足すると、危険信号が発生し、のどの渇きを感じるようになるんだ。

脳も成長する

　きみはいま、大人の階段をのぼっている真っ最中だろう。生物学的には、男の子なら15、6歳、女の子なら13、4歳にもなれば、りっぱな大人だ。じゃあ、脳はどうかって？　脳は、25歳で完成するといわれているけれど、一生をとおして成長しつづけるんだ。

　12歳から14歳くらいまで、脳はめまぐるしく変化している。毎日、新しいシナプスがつくられ、刺激を受けることで、水をたっぷりやった植物のように、環境や状況に適応し、なにごとにも対応できるように、たくましく成長していく。

　いま、きみは、スマホのタッチパネルをやすやすと操作することができるよね。それは、きみの脳がその動作に「適応」しているからだ。同じように、きみのひいおじいちゃんの脳は、洗濯板でふんどしを洗ったり、かまどでごはんを炊いたりするのに適応していて、1万年前のきみのご先祖さまの脳は、襲ってくる敵を察知して槍を投げることに適応していた。脳はいつも、くり返しやることや、そのとき必要なことに適応して成長するんだ。

新しいふんどしを買いにいくかのう

5　脳のなかでの役割分担って？

謎に包まれた4つの能力

　脳が身体から受けとる情報は、五感だけじゃない。身体がもつ4つの能力と協力しないと、生きていくことさえ難しい。その能力について、これから見ていこう。

温度を感じる力

　脳と皮膚との連携によって、体内や外の世界の温度を感じて推定する能力をぼくたちはもっている。皮膚のなかには、5℃から40℃のあいだで活性化する、寒さをとらえる「温度受容器」と、29℃から45℃のあいだで活性化する、暑さをとらえる「温度受容器」がある。それ以上や以下の温度に対しては、ほかの受容器が活性化する。そのとき、はじめは不快感を感じ、さらに「痛み」を引き起こすんだ。

　温度受容器はとても敏感なので、ちょっとくらい離れていても、ちゃんと熱い・冷たいを感じることができる。ストーブをさわったときしか熱いと感じなかったり、冷凍庫に手を突っこんだときしか冷たいと感じなかったら、困っちゃうよね。この能力によって、体温を一定に保ったり、出かけるときにTシャツ1枚でいいのか、ダ

温度受容器が壊れちゃったの？

ウンジャケットが必要なのかを判断したりできるんだ。

痛みや苦痛を感じる力

　身体のどこかの組織が傷つく危険性があるときに、その犯人である「刺激」を発見して、教えてくれる係もいる。それは皮膚や内臓にいて、脳に情報を送っている。

　たとえば、ハンマーで指をたたいちゃったり、ブーツをはいた人に足を踏んづけられたりしたとき。それから、熱い鍋や凍った金属片なんかに触れてしまったとき。苦痛につながるこうした刺激を受けたときに活性化するのが、「侵害受容器」だ。

　この感覚は、感情（とくに恐怖や不安など）と密接に結びついていて、そのため、深く記憶に残ることが多い。いちど、やけどをしたり、ケガをしたりすると、二度と同じ行動をとらないようにするだけでなく（痛いのは1回でじゅうぶんだからね！）、同じ目にあった人を見ると、つらい気持ちになってしまうんだ。

5　脳のなかでの役割分担って？　　47

自分の身体の動きや位置がわかる力

　目をつぶったままで、1本の指で鼻をさわることができる？　足を組める？　おっ、うまくできたね！　でも、見えてないのに、不思議だと思わない？

　タネを明かせば、これも身体と脳の連携がなせるわざだ。視覚やほかの感覚に頼ることなく、自分の身体のそれぞれの部分の配置を知ることができるセンサーが、筋肉や腱、関節など、身体のあらゆる部分にはある。そのおかげで、姿勢や動きを把握して、自分が空間のなかにどう位置しているかを意識しながら、動くことができるんだ。これを「固有受容覚」という。

　固有受容覚は、身体中に存在するセンサーによって、平衡感覚と協力して働く感覚で、なかでもとくに重要なのは、足の裏にあるセンサーだ。だからかどうかわからないけど、落ち着きのある人は「地に足がついているね」なんて言われたりする。

固有受容覚と思春期

　身体の成長がいっきに進む思春期には、脳が身体全体をコントロールするのにへとへとになってしまうことがある。だから、腕や足をやたらどこかにぶつけてしまったりする。

　これは、自分の身体イメージと現実の肉体とが、正確に一致しなくなったからだ。いっぱいスポーツをすることと、鏡で自分の姿をよく見るのが解決の近道だ。

鼻毛、出てないかな？

バランスをとる力

　耳のなかには、身体のバランスをとる役割をもつ小さな部分がある。「前庭」という部分だ。前庭の調子が悪いと、めまいを引き起こす。頭がぐるぐるする感覚があったり、激しい動悸や吐き気がしたり、もっと深刻な症状につながることもある。

　前庭からの情報を受けとった脳は、いま身体がどれくらい傾いているかを察知し、倒れないように、すかさず筋肉や関節に指令を送って、身体を支える。

　耳の穴のいちばん奥の部分を内耳という。ここの働きによって、重力や直線加速度（遅刻しそうだからってお母さんがめちゃくちゃに車のスピードを上げたときに感じる、あの身体が浮かぶような感覚）、回転加速度（ジェットコースターで頭がさかさまになったときなどの不思議な感覚）などを感じることができる。脳は、このような内耳の助けを借りながら、時々刻々と変化する身体の状況をすばやく判断して、思いどおりに身体を動かすことができるんだ。

5　脳のなかでの役割分担って？　　49

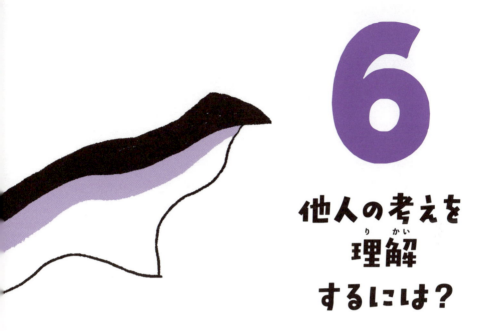

6 他人の考えを理解(りかい)するには？

きみとおじいちゃんのあいだのテーブルに、水の入ったコップが置かれている。おじいちゃんが、コップを横からつかんで持ちあげる。いったんテーブルの上にもどす。こんどは、コップを上からつかんで持ちあげる（クレーンのアームみたいな指の動きでね）。

1回目のおじいちゃんの動きを見て、どう思った？　たぶん、おじいちゃんは水を飲もうとしているって思ったよね。じゃあ、2回目の動きでは？　まず、そんなふうには思わなかったはずだ。

なぜ、そう思った？　それは、小さいころから、おじいちゃんが水を飲むためにコップを手にとる一連の動きを、何度も何度も見てきたからだ。

長い時間をかけて観察がくり返されたことで、おじいちゃんが何をしようとしているか、わかるんだ。こういったことは、ほかのさ

まざまな状況でも起こる。

　足を痛めたことがなくても、痛めた足に体重をかけると痛いということは、かんたんに理解できるだろう。それは、だれかが痛そうにしているのを何度も見たことがあるからだ。おもしろいことに、じっさいの場面を見ていなくても、映像やマンガでも、あるいは、本を読んで頭のなかで想像することによっても、この効果は現れる。

　きみとおじいちゃんの例は、脳でじっくり考えてわかったものじゃなく、「共鳴」といって無意識に生じるものだ。これは人間だけに特有のものじゃない。ほとんどすべての動物がさまざまなかたちでもっている。

　イタリアの美食の街・パルマの研究チームは、ふつうのペンチとエスカルゴトング（カタツムリを食べるときにはさむ道具で、フランスではポピュラーな食器だ）のふたつを使って実験をおこなった。

　ふつうのペンチを使ってものをつかむには、まず手を広げてペンチを開き、それから手を閉じてペンチも閉じる。エスカルゴトングでは逆だ。手を握るとトングが開き、手を離すとトングが閉じて貝をはさむことができる。

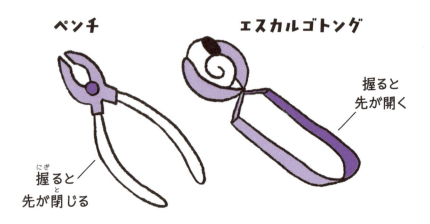

研究チームは、何頭かのマカクザル（もっともヒトに近い脳をもつ霊長類の一種）に、そのふたつの使い方を教えた。サルは、ペンチもエスカルゴトングも同じように使えるようになった。

　本題はここからだ。食べものをつかむためにペンチを使う場合と、それ以外の目的で使う場合とでは、サルの脳内の電気信号の流れ方は違っていた。さらには、研究員やほかのサルがペンチを使っているのを見ているだけで、自分で食べものをつかむためにペンチを使っているときと同じ電気信号が流れたんだ。

　研究員が食べものを自分の口に近づける動きをすると、それを見ていたサルの脳には、自分が食べようとしているときと同じ電気信号が流れる。研究員が、直前でやっぱり食べない、という動きを見せると、サルの脳の電気は瞬時に流れなくなった。

　友だちが大きなポップコーンの袋に手をつっこんでるのを見て、自分が食べようとしているみたいに、口のなかにつばが出るのを感じたことはない？

　それが、まさにマカクザルみたいに、「ミラーニューロン」が起動した瞬間なんだ。

6　他人の考えを理解するには？　　53

ミラーニューロン

　ミラーニューロンは、脳の機能のなかで、もっとも古くからあるもののひとつだ。だれかがやっていることや、まわりで起きていることを見て、ものごとを学ぶ役割をもっている。まさに「ものまね」の術、つまり他人の行動をまねて、だれかになりきるという脳の機能なんだ。子どもの脳は、見たものをすぐにまねることが大の得意だ。だから、小さな子に見られているときは行動に気をつけること！

　もっともわかりやすい（そしてもっとも不思議な）ものが、「あくび」だ。だれかがあくびをしているのを見ると、自分もしてしまう。このイラストを見てごらん。

　どう？　あくびがしたくならない？
　ほかにも、たとえば、クラスのいじめっ子がきみの友だちに、こぶしを振りあげているのを見たとする。そのとき、きみのミラーニューロンが発動する。いじめっ子との距離はどのくらい？　近ければ近いほど、まるで自分が殴られそうになっているかのように、より興奮する。ミラーニューロンは、さまざまな危険な状況を自分ごとのようにとらえて、対処する行動をとるのに、とても役立つんだ。

ミラーニューロンは、だれかの行動を評価したり、何かを決断したりするときにも働いている。

　きみは、ひげもじゃでいかついおじさんを見たら、ちょっとこわいと感じてしまうだろう。それは、ひげもじゃの悪党が出てくる映画やテレビを何度も観たことがあるからだ。

　そんないかついおじさんも、赤ちゃんのまえでは満面の笑顔だ。赤ちゃんのまえでは、だれだって笑顔になってしまうものだからね。だから、赤ちゃんはおじさんのことをぜんぜんこわがらない。なぜなら、ミラーニューロンが、「笑顔＝この人はいい人だよ！」と赤ちゃんに教えてくれるからだ。

　ミラーニューロンは、世界中どこにいっても機能している。笑顔はあくびと同じくらい、昔からある万能のコミュニケーション・ツールだから、言語が違っても万能なんだ。

試合前のびっくり儀式

　ニュージーランドのラグビー代表チーム「オールブラックス」の選手たちは、試合前にかならず、「ハカ」とよばれる伝統的な踊りを披露する。なんで、そんなおかしなことするんだろうって？　じつはこれはもともと戦いの踊りで、対戦相手を威嚇するのに効果抜群の作戦なんだ。

6　他人の考えを理解するには？　　55

もし、きみがぼくだったら？

　なかよくしたり、ケンカをしたりするのは、その人とのあいだに、すでに人間関係があるからだよね。でも、じつは、ヒトや多くの動物（とくに哺乳類）は、ミラーニューロンのおかげで、ごく自然に、一瞬で、だれかと関係を築くことができる。この現象は**共感**とよばれ、相手となんの関係ももっていない状態でも生まれるものだ（生まれない場合もあるけどね）。

　つまり、共感とは、自分の考えや心配ごとはよそにおいて、相手に集中する能力のことだ。共感の強さや弱さは、相手からの信号をどれだけうまく解釈できるかによる。

　この下にいるワンちゃんを見て、どう思う？　さみしがってるみたいって？　そりゃいけない、早くなでてあげて！

> **共感**
>
> 英語ではエンパシーという。もともとはギリシャ語の「エン」と「パトス」を合わせたことばで、「なかで感じる」という意味。共感能力の高い人は、ほかの生きものが感じていることを想像し、自分も感じることができるんだ。

共感力をきたえるのにいちばんいい方法は、ほかの人と直接触れあうことだ。なんらかのかたちでおたがいに顔を合わせて、交流できる環境が望ましい。たとえば、文字だけのメッセージのやりとりよりも、ビデオ通話のほうが、相手の感情を理解する練習になる。

　とくに子どもは、小さいころからできるだけ多くの人と触れあうことが大切だ。そうすることで、他人の行動を観察する力や、記憶力をきたえることができるんだ。

記憶って、なんだろう？

あれ？ 何を言おうとしてたんだっけ？
ずいぶん忘れっぽいねって？ 失敬な！……あっ、おかげで思い出したぞ。

「記憶」というものは存在しないんだ。いやいや、しゃべる内容をど忘れした言い訳をしてるんじゃないぞ。

読んだ本をしまっておく本棚みたいな、記憶を保存しておく正確な場所は、まだ脳のなかに見つかっていないんだよ。

ぼくたちが「記憶」とよんでいるものは、神経系が集めて意味づけをおこなった、さまざまな情報の総称なんだ。

たとえば、ここに手を置くとやけどする、みたいな。試してごらん。ほら、やけどしただろう？ もういちどやってみる？ ほら、またやけどした。もういちど……、えっ？ もうわかったって？ よしよし。侵害受容器（47ページを見て）のおかげもあって、やっと記憶できたみたいだね。

記憶っていうのは、倉庫みたいなものとは違う。記憶は、きみに備わっている、自分のまわりの情報を集める能力なんだ。

スマホのなかのお気に入りの曲リストと比較してみよう。きっとそれは、アーティスト名や新着順など、きみの好きな基準にしたがって分類されているだろう。

脳の中身は、まるで違う。

記憶とは、まわりの情報を集める能力だ

脳はつねに、めちゃくちゃたくさんの情報を受信しているので、すべての情報を覚えて分類していたらパンクしてしまうし、「あの重要な情報はどこにしまったっけ」と、探すのに手間がかかってしょうがない。だから、大事な情報をすばやく引き出せるように、関連する情報をいっしょに保存しておくというわけだ。それとまったく同じ音やことばをどこで聞いたか、どう感じたか、好きか嫌いか、といった情報も。ある曲の名前を思い出そうとするとき、きみの脳は関連するいくつもの情報を同時に思い出す。その曲名といっしょに覚えるはずのないものまでも。つまりそれは、何かを思い出すたびに、まったく新しい記憶をつくりだしているということなんだ。

だからこそ、きみがいつも同じエピソードを語っていたとしても、それは少しずつ変化していく。同じ出来事についての記憶が、ひとりひとり違うのは、こういう理由なんだ。だから、きみが友だちと大好きなバンドのライブにいったときも、ふたりのその夜の記憶は、まったく違うものになる。きみはライブで印象的だった曲を覚えていて、友だちは、でっかい男にぶつかって、靴に飲みものをこぼされたことばかり覚えてるってぐあいにね。

60

脳に「思い出せ」っていう命令を出したとき、何が飛びだしてくるかは、出てくるまでわからない。屋根裏部屋でがらくたの山をかき集めるみたいな感じだ。

　きみが出す命令は、海馬に伝わる。海馬って？　海に住んでいる馬じゃないぞ。海馬はきみの脳の一部で、記憶をつかさどる司令塔だ。きみがものごとをきちんと覚えていられるか、忘れちゃうかは、この海馬にかかっている。

　いつ？　だれが？　何を？　どうやって？——そんなふうにして、まずはかんたんなところから思い出してみよう。

深い記憶と浅い記憶

　ぼくたちはみんな、よい思い出を大切にしてるし、イヤな記憶はすぐに忘れたいと思ってる。

　記憶を保つという行為は、思い出を脳内でつねに鮮やかな状態にとどめておくということだ。そのためには、写真に撮っておいて見返すのはいい方法だ。もちろん、写真はかたちを変えたりはしないけど、見るたびにいろいろなことが違って見えてくるはずだよ。

　必要な情報をほんの短い時間だけ記憶するのが、短期記憶。きみが自転車通学していて、いつも駐輪場に停めているとしようか。その場合、自転車を停めた場所を１年ぶん覚えておく必要はないよね。覚えておく必要があるのは、その日の朝に停めた場所だけだ。

　もうひとつ、長期記憶というものがある。こいつの潜在能力は無限大で、ずいぶんまえの記憶だってよみがえらせることができるんだ。長期記憶は、いくつかのタイプに分類される。つぎに説明しよう。

7　記憶って、なんだろう？　　**61**

意味記憶

きみときみのまわりの世界についての、もっとも一般的な情報の記憶だ。家庭で学んだこと（両親に教わったこと）や学校で習うこと、きみが育った場所（きみがよく登ってるあの木のことさ）で学んだ情報などで構成されている。

感情記憶

だれかとの経験や、強い感情、よいこと（ファーストキス、水泳大会で優勝したこと）や、悪いこと（キスしようとしてビンタをくらったこと、水泳大会でバスローブをうっかり着たままだったこと）と強く関係している。

手続き記憶

　筋肉が学んだ動きのことで、いわゆる身体で覚えたってやつだ。たとえば、自転車の乗り方。いまでこそ、きみはなんの苦労もなくペダルをこいでるけど、最初のころは、転びまくってたよね。数年ぶりに自転車に乗って、はじめはちょっとぎこちなくても、すぐに必要な動きをすべて思い出すことができるのは、この記憶のおかげだ。

エピソード記憶

　毎日の生活や人生のなかで、ある特定の場所や出来事と結びついた記憶だ。学校の友だち、海にいっしょに遊びにいった仲間、いつも朝食を食べにいく近所のコーヒーショップなど。いつもきみにパンとコーヒーを出してくれる彼女の顔は、お店であいさつをするからよく覚えてる。近所を歩いていてすれ違っても、すぐに彼女だとわかる。彼女の顔は「朝食」のエピソードとリンクしている。でも、もし彼女とすれ違ったのがドイツのベルリンだったら？彼女がだれで、なぜ彼女に見覚えがあるのか理解するには、ちょっと時間がかかるだろう。

にせものの記憶

映画『ブレードランナー 2049』に登場する人造人間・レプリカントは、「自分の記憶は本物か」という悩みをかかえていた。なぜなら、かれらはプログラミングされた存在だからだ。もちろん、その記憶もふくめて。

きみもかれらと同じように、経験したことのないことを「やったことがある」と、信じこむことができる。それは「認知バイアス」といって、だれもがもっている欠陥なんだ。めちゃくちゃ深く信じこんでしまう場合もあれば、軽いかんちがいくらいの場合もある。

友だちが、きみがした話を、まるで自分のエピソードみたいに話してるのを聞いたことがない？ それ、何度も話しているうちに、しまいには、自分のエピソードだと信じこんでしまったんだ。

私の脳が目の前に現れて、話しかけてきたんだ！

記憶力をきたえる方法とは？

記憶力はきたえられるかって？ もちろん。使えば使うほど、記憶力は伸びていく。でも、ただ使うだけじゃダメ。記憶に枠組みや骨格を与えないといけない。

記憶は、くり返し引き出すごとに整理され、強くなっていく。関連するものごとをいくつもいっしょに覚えておくのがいい。ひとつキーワードが思い出せれば、連想ゲームのようにつぎつぎと記憶がよみがえってくる。

思いこみもとても重要だ。数年前、イギリスの心理学者協会が、ある実験をおこなった。複数の人間をふたつのグループに分け、一方には記憶力を向上させる研修をおこない、もう一方には自尊心を高める研修をおこなった。

　じつは、この実験の真の目的は、このふたつのプログラムを入れかえておこなうことだった。記憶力のコースを受けていると思っていたグループは自尊心のコースを、自尊心のコースを受けていると思っていたグループは記憶力のコースを受けていた。もちろん、参加者はそのことを知らない。さて、コース修了時にどうなったか。どちらのグループも自分に自信がもてるようになり、最高の記憶術を身につけたことを確信していた。

　つまり、「自分はできる」という気持ち（自尊心）ひとつで記憶力は向上する、というわけさ。逆に、「自分は記憶力が悪い」という思いこみは、じっさいに記憶力を悪くすることが知られているんだ。

　いずれにしても、記憶力を高めるいちばんの方法は、毎日9時間以上（きみが10代なら）の良質な睡眠をとることだ。睡眠は、記憶を並べる本棚をつくるのにめちゃくちゃ役立つんだから。

忘れることの大切さ

　ものを忘れるっていうのは、ぜんぜん悪いことじゃない。いや、むしろとても重要だ。どこまで正確に記憶するのか、また、いつまでそれを記憶しておくのかを選ぶことは、きみにとって必要なことだ。たとえば、学校の駐輪場でいままで自転車を停めた場所をぜんぶ覚えているとしたら、今日停めた場所がいったいどこだったか、こんがらがっちゃうだろう。

　情報のなかには、覚えている意味がないものや、あまりにもイヤだったり、恐ろしかったりしたせいで、記憶から消去されてしまうものがある。

　失われた記憶があまりに大きい場合は「記憶喪失」とよばれる（本や映画で見たことがあるかもしれない）。身体的なダメージによって記憶を失うこともある。たった数秒間、脳（やその一部）に必要な酸素が供給されないだけで、記憶にぽっかりと穴が開いてしまうんだ。

　また、事故や誘拐、暴行など、つらい経験による精神的なダメージが原因で引き起こされる記憶喪失もある。脳が自己防衛本能を働かせて、記憶をブロックして追体験させまいとするからだ。記憶を書きかえるんじゃなく、引き出しにしまいこんで鍵をかけ、二度と開かないように鍵を捨てようとするんだ。

　記憶が謎であるならば、その反対の「忘れる」ってことはもっと不思議だ。

つらいことがあると、脳は記憶を閉じこめてしまうことがある

66

記憶についての研究は何百年もおこなわれてきたけれど、ぼくたちがどのようにして忘れるのか、脳がいつ、どのていど忘れることを選択するのか、ほんとうのところはわかっていない。
　どう？　考えてみたら、ワクワクしてこない？

記憶の達人、ジル・プライス

　「うちの母さん、ほんと、よけいなことをいつまでも覚えてるんだよな〜」なんて、母さんの迷惑な才能を呪いたくなるときがあるよね。
　ジル・プライスのことを知ってる？
54歳の彼女は、14歳のときから現在に至るまで、すべての日の出来事を完璧に覚えている。ジルは、「超記憶症候群」とよばれる障害による完全記憶能力をもっているんだ。とりわけ、毎日の生活にかかわることをひじょうによく覚えている。

7　記憶って、なんだろう？　　67

8
恐怖と
つきあう方法は?

本能って、なんだろう?
　きっときみは、算数のテストが迫ってくるたびに逃げだしたい衝動に駆られてるんじゃないかな。そう、それが本能だ。本能に身をまかせるのは、頭を使わなくていいし、なんだかラクそうだ。
　でも、ほんとうにそう? 何十万年もまえのきみのご先祖さまも、茂みがガサガサゆれるのを見たら、本能的に隠れていた。そこにライオンがいた確率は、1万分の1くらいだってのに! ライオンに食べられちゃうのは避けられるけど、ちょっとムダが多すぎる。
　一方、機械は(少なくとも現時点では)、人間とは違う。コンピュータは算数のテストを恐れることはないし、茂みがガサガサ動いたって、そこにライオンが迫っている確率を理性的に計算することができる。だけど、のんびり計算なんてしていたら、ほんとうにライオンがいたときには遅すぎて、バリバリ食べられちゃうだろう。

え〜、じゃあ、どうすればいいんだよって？ 結局、ご先祖さまのような本能と、コンピュータのような理性とでは、どっちがすぐれてるんだろう？ たぶんね、どっちも大事なんだ。

本能か、分析か

結婚するか、しないか。これが、世界一周の長い旅からイギリスにもどったチャールズ・ダーウィンの悩みだった。本能は彼に告げていた。「いますぐエマと結婚するんだ！ おまえなんかと結婚してもいいって言ってくれる女性なんて、二度と現れないぞ！」

だけど、ダーウィンは結婚を申し込むまえに、彼女と結婚することが正しい選択なのかどうかを、冷静に分析して判断しようとしたんだ。

ダーウィンは、自分が結婚している姿を想像して、1枚の紙に、思いつくかぎりのメリットとデメリットを書きだしていった。

メリットには、「子どもをもてる」「忠実な伴侶を得られる」「妻のピアノ演奏と会話が楽しみ」などが挙がった。

デメリットは、「親戚づきあい（ひどい時間のムダ）」などだった。

そして、ずっと独身でいる自分の姿を想像して、これについても、メリットとデメリットを書きだした。

すると、「老後の面倒をみてくれる人がいない」などのわずかなデメリットに対して、独身でいることのメリットは、「好きなところに自由に行ける」「親戚づきあいしなくていい」などなど、いくらでも出てきたんだ。

集計すると、結果はあきらかだった。「結婚しない」という選択肢の勝利だ。

でも、結局、偉大な科学者であるダーウィンは、1839年1月29日、エマ・ウェッジウッドと結婚した。その後、ふたりは10人の子どもを授かり、生涯仲むつまじく暮らしたという。

ぼくたちは何かを決断するとき、ほとんどの場合、自動的に、直感的に、すばやく、特別な努力もなく決めている。「合理的」に判断しているつもりでも、じつは「本能的」である場合が大半だ。

ぼくたちは、自分の決断が悩みぬいた結果だと、自分に言いきかせたがる。じっさいにはそうじゃなくてもね。

数字の話

ぼくたちは1日に2000回から1万回も、何かの決断をしていることがわかっている。え〜っ、そんなに？日差しを手でさえぎるのも、なにげなくスマホを手にとるのも、決断のひとつだからね（意識しだすと、落ち着かなくなるけど）。

8 恐怖とつきあう方法は？　71

たとえば、こんな状況を想像してごらん。街でかっこいいナイキのエアマックスを見かけて、お年玉でもらった2万円があったから、思わず買っちゃった。

　気分は最高だけど、おかげで財布はすっからかんだ。あれ、待てよ。その2万円があれば、ほしかったあのバッグが買えたんじゃないか？　いや、待て待て。トイドローンだって買えたじゃないか。そしたら、こんどみんなでキャンプにいくとき、最高の映像が撮れたはずなのに……。しかも、なんと、スニーカーはきみの足に合わなかった！　おまけに、返品交換はできませんって……。じゃあ、いったいどうすればいい？

　直感による選択がまちがっていたと気づいたとき、きみは、この

白川静文字学に学ぶ
漢字なりたちブック 1年生〜6年生 +別巻
改訂版

1ページ1字で、学年配当漢字すべてを掲載
豊かな漢字の世界観を伝えるコラムも充実

伊東信夫 著
金子都美絵 絵

六判／本文2色刷り
- **1年生**：本体1200円
- **2年生〜6年生**：各 本体1400円
- **別巻『全漢字まとめ帳』** 本体600円

■ **全7巻セット**：本体8800円
美函入り・古代文字ポスター付

月刊メルマガ＆Webマガジン、好評配信中

メールマガジン[Edit-us] たろじろ通信 では
新刊・近刊ニュースや著者によるイベント情報などをメルマガ限定コラムとともにお届けします。配信申込はWebマガのページから →

Webマガジン[Edit-us] では
読みごたえある多彩な連載がぞくぞく！…●〈公正〉を乗りこなす（朱 喜哲）●きらわれ虫の真実（谷本雄治）●石巻「きずな新聞」の10年（岩元暁子）●保護者の疑問に事務主査が答えます（栁澤靖明）●往復書簡：国籍のゆらぎ、たしかなわたし（安田菜津紀ほか＋木下理仁）●他人と生きるための社会学キーワードほか。

掲載の書籍は全国の書店でお求めになれます。店頭になくお急ぎの場合には小社へ。
電話、FAX、HPにてお申し込みください（代引宅配便にてお届け／送料別）。
太郎次郎社エディタス●電話03-3815-0605●FAX03-3815-0698●www.tarojiro.co.jp

太郎次郎社エディタス
新刊案内 2022春
表示価格は2022年2月現在の税別・本体価格です

いざ！探Q
『ユリシーズ・ムーア』『13歳までにやっておくべき50の冒険』
人気児童文学作家 × プロフェッショナル
疑問を探究するノンフィクションシリーズ、創刊！

お金はなんの役に立つ？
経済をめぐる15の疑問

P・バッカラリオ／F・タッディア 著
吉川明日香 日本版監修　野村雅夫 訳
（東洋経済オンライン編集長）

**きみと世界をつなぐもの、
それがお金だ。**

ほしいものを手に入れる。その方法をとことん考えていくと、「みんなの繁栄」につながる世界のあり方が見えてくる。値段はどう決まる？　なぜ働くの？　株式会社って？　お金と経済をめぐる疑問を、いざ、探究！

頭のなかには何がある？
脳をめぐる15の疑問

P・バッカラリオ／F・タッディア 著
毛内拡 日本版監修　有北雅彦 訳
（脳神経科学者）

**天才も凡人も、
脳の潜在能力はまったく同じ。**

考える、記憶する、感じる、身体を動かす。人間が生きるためのすべてに脳はかかわっている。脳では何が起こってる？　記憶のしくみとは？　私と頭、どっちがご主人？　謎多き脳をめぐる疑問を、いざ、探究！

A5判・並製・144ページ・本文2色刷　　各巻 本体1800円

あこがれのアスリートに なるための50の挑戦
P・バッカラリオほか著
有北雅彦訳

スポーツのほんとうの力って？ リフティング、階段マラソン、綱渡り、敗北体験、幸せの貯金……。毎日20分、50の挑戦を楽しみながら、プレイも生きざまも光を放つ、ヒーローへの道を駆けあがれ！！　四六変型判・本体1600円

世界を変えるための 50の小さな革命
P・バッカラリオほか著
上田壮一日本版監修　有北雅彦訳

人気冒険ガイド第3弾、今度の標的はSDGs！ 環境破壊、貧困、スマホ依存、ウソ、偏見……。このまちがった世の中にガマンがならない？ さあ、同志とともに、世界をよりよく変える50の革命を起こせ！　四六変型判・本体1600円

チャンキー松本の チョキチョキ切りえ教室
チャンキー松本著
シンプルなのにびっくりアート！

動物、食べもの、昆虫、乗りもの、花、人……。1枚をきれいに切って終わりじゃない。重ねる、立たせる、変身させる！　人気の切り似顔絵師が、楽しくて止まらなくなる切り絵遊び35作品を大公開。　B5変型判・本体1500円

これならできる、こどもキッチン
お悩み解決！ 2歳からの台所しごと
石井由紀子著

「火のついたコンロによじ登る」「洗い物をやめようとしない」「自分でつくったのに食べない」……。子どもの謎の行動は、じつは大きな成長のきざしです。解決へと導く9つのポイントと、21の厳選レシピ。A5判・本体1600円

2022年 3月刊

学校が合わなかったので、小学校の6年間 プレーパークに通ってみました
天棚シノコ著

学校をやめて外に出たら、生きた学びがあふれていた。土や火や水にふれて本気で遊び、失敗し、年齢を問わずともに楽しめる関係を育んでいく。外遊びホームスクーラーとして過ごした母娘の日々。　四六判・本体1800円

世界でいちばん 観られている旅　NAS DAILY
ヌサイア・

4000万人が注目する1分間旅動画「NAS実像とは。パレスチナ系イスラエル人のとSNSを武器に、世界は変えられることた、1000日間・64か国の旅の記録。四

下山の哲学
登るために下る

「頂上は通過点にすぎない。そこから下のが登山なのだ」。日本人で唯一、8000の頂に立った登山家は、どのように山を下山岳書初（！）の下山ドキュメント。四六

ひとりでできる こころの手あて
セルフケアがわかる本

私はひとり。だけど、ひとりぼっちじゃない。っても、私は「私」のいちばんの味方になれたり読み継がれてきたセルフケアブックが、アル。いまだからこそ必要なケアを。　A5判

ほどよい距離でつきあえる
こじれないNOの伝え方

「NO」と言えない、断われない。それってやない。さまざまな場面でNOを伝えるときのップから、悩ましいケースまで。こじれない、つぎにつながるNOのレッスン！　四六判

2022年 4月刊

限界ニュータウン（仮）
荒廃する超郊外分譲地をたずねて

弱インフラ、低アクセス、割高価格。千葉県のにはそのような「限界ニュータウン」ともいえるが多数存在する。そうした分譲地の誕生からたどり、利活用と未来を考える。四六判・予価

マンガの子みたいに、論理的に思える言い訳を組み立てることになる。これは、衝動買いのケースにかぎらない。

　なんだか、まわりくどいやり方だよね。すなおにまちがいを認めればいいのに。

　人はだれしもプライドがあるから、直感がまちがってたって認めたくないものなんだ。それに、まず自分の直感を信じなければ、そもそも自分を信じられなくなる恐れがある。

　だけど、それはじつはまちがいだ。大事なのは、直感を働かせるべきとき（だれと遊ぶかを決めるときとか）と、そうでないとき（靴を買うときとか）がいつなのか、見きわめられるようになること。そうすれば、本能をもっと信頼できるようになるし、自分のことも、もっと信じられるようになる。

恐怖心は脳がつくりだしている

　こわいものがない人なんていない。それに、ミラーニューロンの働きで、ぼくたちは他人の恐怖を想像して、恐怖を感じる。だから、映画のシーンで悪魔に追われて森のなかを逃げまわる子どもを見ると、かれらに感情移入してしまうんだ。

　ソファに座ってテレビの前でくつろいでいても、そわそわして、血の気が引いて、のどが乾いて、ハラハラして、緊張して、こわくてたまらなくなる。いま、自分に現実に起こっていることじゃないのに。

　恐怖を感じるのは、脳が健全な証拠だ。だから、恐怖を感じるのを恐れることはない。逆に、こわくないふりをしたり、ほんとうにこわさを感じなかったりする人は気をつけよう。恐怖とは、明らか

8　恐怖とつきあう方法は？　73

な危険をまえにしたときに起こる当然の反応なんだから。

つぎの3つのケースを想像してみよう。

1）森の小道を渡る。

2）赤信号で道を渡る。

3）高速道路を横切る。

どれも行動としては同じ、「道を渡ること」だけど、状況はぜんぜん違う。

1）いなかにおじいちゃんがいるなら、遊びにいったときに、森の小道を渡った経験があるかな。目をつぶっていたって、渡るのはぜんぜんこわくないだろう。

2）信号が青かどうか、よく確認してから道路を渡るように習ったはずだ。だから、赤信号で渡るのはこわい。赤信号でだれかが渡ってたら、だいじょうぶかなってハラハラする。

3）ある晩、ステルヴィオおじさんは、高速道路でガス欠になったときの命がけの冒険の話をして、きみをふるえあがらせた。車がビュンビュン行きかい、クラクションが鳴り響くなかで、高速道路を横切ったそうだ。それがつくり話だったとしても、想像しただけでこわくて、高速道路を横切る勇気はとてもないよね。

恐怖心があるからこそ、未知のものや危険なものを判断して、どこまでだったら安全かを見きわめることができる。

恐怖は制御可能だ。まずは、なぜこわいのか、何がこわいのかを脳に理解してもらうこと。そうすれば、ちょっとしたくふうで恐怖心を減らすことができる。

いい練習がある。それは、かつてはめちゃくちゃこわかったけど、いまとなってはバカみたいだったなってことを思い出すことだ。はじめてサイクリングに出かけたときは、下り坂のたびに泣きじゃくってたけど、いまでは電光石火で駆けぬけることができる。はじめて海で泳いだときは、1時間も泣いていた。いまでは、早く水から上がれって言われるほうが泣きわめいてしまう。

恐怖心へのもうひとつの対抗策は、笑うことだ。おもしろい映画は、緊張や恐怖をやわらげてくれる。また、鏡などを使って、自分に向かって笑いかけてみよう。笑いの効果は抜群で、すべての恐怖にうち勝つ超能力みたいなものなんだ。

成長のための勇気

臆病というのは勇気がないってことだけど、じゃあ、勇気ってなんだろう？

それは、きみを恐怖の克服に導く心のあり方だといえる。美しいもの、かなえたいこと、だれにもゆずれない大切な何かに手を届かせるんだって信じて、危険に身をさらすことをいとわない姿勢だ。

おぼれたらどうしようとこわがって海岸に立ちつくすよりも、ダイビングして海底散歩をするほうが楽しいし、転んでひざをすりむくのを恐れておっかなびっくり散歩するよりも、自転車で自然のなかを駆けぬけるほうが楽しいに決まってる。

勇気は、「やってみたい」と感じるメカニズムのスイッチを入れ、少しずつものごとに取り組ませ、きみを少しずつ向上させるためのものだ。小さな妹がきみよりも勇気があって、なんでも勇敢に取り組んでいるように見えるのは、妹がまだ恐怖を知らないからだ。でも、あらゆる悪や危険から守ってあげることが、妹のためになるとはかぎらない。少しずつ何かを探求させることが、妹の成長につながるんだ。

勇気を出せるようになるための、脳のトレーニング方法はあるかって？　もちろんさ！　秘訣は、まずは低いハードルからはじめて、少しずつハードルを高くしていくこと。これはたぶん、脳にプログラムされた、何かを習得するための基本的条件だ。できるようになるまで、強い意志で何度もくり返す。

さあ、覚悟を決めてやってみよう。傷ついたり、まちがったりするのは避けられない。だれだって、こわいんだ。でも、恐怖を感じることを恐れちゃいけない。恐怖やまちがいや傷は、そのうちどこかへいってしまう。傷口をなめたら、もういっぺんやってみよう。

8　恐怖とつきあう方法は？　77

ほら、まえよりも早くできるようになっただろう？

恐怖をコントロールする扁桃体

　恐怖を感じ、勇気が育まれる脳の領域は、扁桃体といい、さまざまな機能をもっている。
　扁桃体は、喜怒哀楽のような複雑な感情のもとになる本能的な快・不快、嫌悪などにかかわっている。そして、記憶をつかさどる海馬とも連絡をとりあっているおかげで、恐怖やイヤなことを忘れずに覚えておける。だから、扁桃体は、トラブルを避けるためにはどうすればいいか、危険が迫っているときにはどう行動すればいいかを教えてくれるんだ。
　たとえば、木のどの枝までなら登っても折れないか、言いつけを破って登ったことをルチーアおばさんに知られたときにどう対処するか、とかね。ちょっとした警報装置みたいなものだと思えばいいかな。

「木から落ちたのね？　気をつけてって言ったのに！」。おばさんにこっぴどくしかられて、ヘコんだときなんかには、扁桃体の働きをしずめることで、精神安定剤のようにも作用する。

あざだらけになって、ひざもすりむいて、今日は木に登れないかもしれない。でも明日になれば、また登りたくなるだろう。

扁桃体が正しく働くおかげで、じょうずに恐怖や不安とつきあっていける。扁桃体が壊れたサルは、まったく恐怖を感じなくなり、ほんらいは危険だから嫌いなはずのヘビに近づいていってしまう。逆に、不安症や恐怖症に悩む人は、扁桃体の働きが過剰になっていたり、共感にかかわるミラーニューロンの働きに障害があったりして、ネガティブな出来事や他人の不安を感じやすくなってしまっているんだ。

8　恐怖とつきあう方法は？　79

子どもの恐怖心は、過保護に育てられたことからくる場合もある。いつもいつも、「ここに気をつけて、あそこに気をつけて」なんて言われていれば、いつも危険があるという考えを植えつけられてしまう。つねに警告され、自発的な行動をおさえつけられると、不安や恐怖をいだきやすくなってしまうんだ。

　そうなんだ。ぼくたちは脳を、勇敢で、冷静で、慎重なヤツに育てることもできれば、逆に、こわがりにしてしまうこともできる。大事なのは、恐怖とはなんなのかを知り、正しいこわがり方を覚えることだ。

パティのスケート靴

9

アイデアは
どこから
やってくる？

　　　界はアイデアでできている。なぜかっていうと、ぼくたちは
世 好奇心につき動かされて生きているからだ（または、そうあ
るべきだから）。それはね、とてもすばらしいことなんだ。
　アイデアって、単純なようだけどめちゃくちゃ奥が深くて、だれ
かが思いつくまえにはかけらも存在しないのに、つぎの瞬間には、
だれの目にも明らかになっているものだ。
　歴史は、いわばアイデアの積み重ねだ。よいアイデアも、そうで
ないアイデアもふくめてね。つぎからつぎへと新しいアイデアは生
まれてくる。
　いつ、アイデアを思いつくのかはわからない。
　たとえば、ヒト（ホモ・サピエンス）が車輪を発明したのは、紀元

83

前3500年ごろのメソポタミアといわれている。だけど、そこから、車輪をふたつ並べて世界初の自転車をつくるまでには、5000年以上もかかっているんだ。いまにして思えば、こんな単純で便利なもの、なぜ早く思いつかなかったんだろうって感じなのにね。

好奇心がアイデアの火をつける

　好奇心こそがアイデアの原動力だ。動物にとってさえ、エサを探しだしたり、パートナーを選んだり、天敵を避けたりする方法を編みだすためには、好奇心が欠かせない。

　いいことを思いついたとき、そのアイデアをみんなに共有して使ってほしいと思ったりするのも、好奇心の働きだ。

　ギリシャ神話に出てくるプロメテウスの話を知ってるかな？　プロメテウスは危険をおかして仲間の神さまたちから火を盗み、人間に授けた。そして、それがバレて、恐ろしい罰を受けた。でも、おかげで人間は、火についての知識を手に入れて、火を使えるようになった、という話だ。

　もうひとつ、ギリシャ神話の話をしよう。自慢の翼で太陽まで飛んでみたいという好奇心をがまんできなかったイカロスは、「太陽に近づきすぎるな」という父の言いつけを守らなかったために、ろうでとりつけた翼が太陽の熱でとれて、死んでしまう。

　ぼくたちの生活を豊かにするためには、好奇心をかしこく使いこなさなくちゃいけない。さもないと、危険で残念な結果を招く可能性がある。

84

9 アイデアはどこからやってくる？

3人の優秀な仲間

「ブレインストーミング」って、聞いたことある？　問題解決のために何人かで自由に意見を出しあい、そのなかで偶然出たよいアイデアを拾いだすという会議の方法だ。

このように、何かアイデアがひらめくときって、ごちゃごちゃな思考の渦のなかから、突然パッと生まれるものだと思われがちだ。でも、じっさいには、クリエイティブ（創造的）な思考をするときには、脳は3種類の異なる活性化のしかたをしてるんだ。頭のなかで3人の優秀な仲間が理論的に話し合ってるみたいにね。たしかなことは、脳はブレインストーミングとはまったく違う、理路整然とした思考方法で、みごとなアイデアにたどり着くということだ。

1）集中力が自慢の「エグゼクティブ」

きみのひらめきを助けてくれる3人の仲間のひとり目、「エグゼクティブ」は、きみが目標に向かって集中しているときに実力を発揮する。難しい問題を解いたり、ペナルティキックを決めたりするために必要な集中力をつくりだしてくれるんd。

2）想像力豊かな「イマジネーション」

ふたり目の仲間「イマジネーション」は、想像を広げるのが大好きだ。過去の出来事や未来の計画、あるいは、きみとは無関係なも

のごとにも。イマジネーションは「共感」ともなかよしで、よく連絡をとりあっている。ほかの人の考えを想像するときにはイマジネーションが力を貸すし、ほかの人がどう感じるかイマジネーションがわからなければ、共感がアドバイスをあげるんだ。

3）整理が得意な「サリエンス」

　3人目は「サリエンス」。イマジネーションがつぎつぎに送りこんでくる思考を、「意識の流れ」のなかで、重要度の高いものから低いものへと整理する役割を担っている（サリエンスとは「重要性」という意味だ）。同時に、きみが一生懸命考えているあいだ、まわり（きみがいる現実の環境のことだ）で起こることすべてにも気を配っている。だから、いいひらめきを得るためには、「考える場所」が大事なんだ。

9　アイデアはどこからやってくる？　　87

　これら3人の議論のやり方は、こうだ。

　何かアイデアが必要になったとき、まずエグゼクティブが、イマジネーションに発言権を与える。

　やみくもに意見を出して脱線しすぎちゃったら、サリエンスが軌道修正してくれる。

　やがて、よさそうなアイデアが出てくる。すると、エグゼクティブが指揮権を握り、それを検証する。エグゼクティブのおめがねにかなえば、晴れてアイデアは採用となるんだ。

ホント？　ウソ！

左利きの人は右利きの人よりもクリエイティブだって？　ブー！　よくいわれるこのことばは、科学的根拠のないものだ。左利きの人は右脳、つまり「クリエイティブな脳」が発達しているというのは迷信。

発想を広げる水平思考

　ここで、クイズ。4人の子どもと3つの三角形がある。4人の子どもをひとりずつ三角形のなかに入れるには、どうすればいい？

　こんなの無理だよ〜って？　そんなことはないぞ。ちょっと考えればできるはずさ。

　よし、じゃあ、もう1問やってみよう。

　18本のマッチ棒（つまようじでもいいぞ）を机の上に並べて、こんなふうな計算式をつくってみよう。

　この計算は、あきらかにまちがいだよね。それじゃ、マッチ棒を1本だけ動かして、まちがいじゃないようにしてみよう！

　こんな問題、ほんとうに解けるのかって？　それは、「水平思考」ができるかどうかにかかっている！

9　アイデアはどこからやってくる？　　89

ほら、できた！
きみはたぶん、子どもだけを動かして、三角形は動かさなかったんじゃないかな？

よし、つぎだ。不可能(かのう)に思えるこの足し算の問題でさえ、解(と)き方は3つもある。ただし……どれも、数学のテクニックじゃない。

1）＋の記号の縦棒(たてぼう)を左に移動(いどう)させて、6を8に変える。すると、＋がーの記号になるよね。そしたらどう？ 8－4＝4となる。
2）6の真ん中にある横向きのマッチを縦(たて)にして0にすると、0＋4＝4になる。
3）6の左下のマッチをひとつとって6を5にし、最後の4の上に置く。ほら、できた！ 5＋4＝9。

2)の解(と)き方　□＋4＝4

　よし、つぎが最後の問題だ。友だち7人が集まって、森にピクニックにやってきた。さあ、お待ちかね、おやつの時間だ。バスケットには7個のリンゴが入っている。みんながリンゴをとった(と)のに、バスケットのなかには……あれ？ ひとつあまってるぞ。いったいなぜ？

そんなのおかしいよって？　いやいや、よく考えてごらん。
「リンゴがひとつ腐ってたから、ふたりは半分ずつ分けて食べた」

「ひとりはリンゴを手にとったけど、やっぱりいらないやって、カゴにもどした」「真上にあったリンゴの木から実が落ちて、バスケットに入った」「ひとりがリンゴを食べようとしたら、ハチが飛んできたから、びっくりしてリンゴをカゴに落としちゃった」「ドラゴンにおそわれて、ひとりはリンゴを食べずに逃げた」……。可能性は山ほどある。

　さあ、きみには、3つの問題を考えてもらった。
　ひとつめは、問題のルールそのものに着目したら、解き方を思いついた。ふたつめは、視覚的な形状が手がかりになった。3つめは、ものごとの語られ方を疑うことで発想が広がった。
　このように、問題をさまざまな視点からとらえて自由な発想を導く考え方を、「水平思考」というんだ。
　……おや、そろそろおねむの時間かな？

9　アイデアはどこからやってくる？　　91

10
なぜ、眠らないといけないの？

睡眠とは、人生でもっとも幸せなことのひとつだが、大いなる謎に包まれている。

基本的なメカニズムはわかっていても、なぜ疲労回復に重要なのか、精神にどのような影響を与えるのかは、謎に包まれているんだ。にもかかわらず、世界一の神経科学者（脳を研究している人のことだ）も、きみのおばあちゃんも、同じことを言うのさ。「よく寝ないと、つぎの日しんどいよ」って！

睡眠時間が少ないことを自慢する人がいるけど、ぜんぜんほめられたことじゃない。

眠っている時間は、ムダな時間なんかじゃない。身体を休ませるだけじゃなく、脳が思考をストップさせ、心臓が鼓動をゆるやかにし、肺が呼吸の回数を減らす。酸素の消費量が減って、エネルギー消費が10〜15%低下する時間だ。

それは静かだけど、とても忙しく何かを構築している状態でもある。体内でタンパク質や核酸（DNAの構成要素）が合成され、ホルモンが循環する。脳は落ち着いて、昼間に学んだ新しい行動を記憶する。筋肉は休息して、リラックスしている。身体のあらゆる器官や組織が、貴重なエネルギーを蓄える時間なんだ。

規則的によい睡眠をとっている人は病気になることも少なく、糖尿病や肥満、心臓や血管の病気が起きにくいといわれている。

でも、よい睡眠って、具体的にはどういうもの？　これについては、人によって最適な睡眠スタイルがあるから、自分にあったものを探ってみることだ。

少なくとも、量は大事だ。ひと晩に何時間くらい寝ればいいのかな？　それは、年齢によっても違う。

一般的には、高齢者は5時間、赤ちゃんは16時間、幼児は10〜12時間の睡眠が必要だといわれている。

思春期には、少なくとも9時間は眠るのが大事。20歳以降だと8時間でじゅうぶんな場合もあるけど、1日7時間以下なのはオススメしない。夜ふかしの**バンピング**はご法度だ！

睡眠時間が短く、眠りも浅い人は、心臓発作のリスクが3倍、うつ病のリスクが4倍になり、イライラしやすく、不満がたまったり、悲観的になったりしがちだという。睡眠障害（睡眠に関連したさまざ

まな病気）は、約200種類もあるそうだ。

　現代人は昔とくらべると、睡眠時間が２、３時間短くなっている。こんなふうにぼくたちのライフスタイルが大きく変わりはじめたのは、19世紀半ばごろのこと。つまり、人工的な照明（はじめはガス、のちに電気）が普及するようになってからだ。夜も明るくなったことで、街の治安がよくなり、人びとが夜でも行動できるようになった。

　さて、明かりを消して、ぐっすり眠ろう。いいね？

バンピング

バンパイア（吸血鬼）みたいな行動をすること。つまり、太陽が苦手な吸血鬼みたいに、夜遅くまでライン交換をしたり、動画を観たりすることだ。スマホ依存はとても悪い習慣だ。寝る少しまえに、スマホやWi-Fiの電源を切っておくのがいいぞ！

寝ているあいだに何が起こっている？

　妹とふとんを並べて寝たことがあれば、寝相の悪い妹にけとばされた経験があるんじゃないかな？　眠っていても、動かないってわけじゃないのが、これでわかるよね。

　ひと晩の睡眠には、一定の規則性をもったサイクルがある。大まかにいうと、「ノンレム睡眠」と「レム睡眠」のふたつの状態がくり返されているんだ。

　レム睡眠のあいだ、目だまはまぶたの下で、めまぐるしく動きまわっている。一方、ノンレム睡眠のあいだは、目が動かない。

　ノンレム睡眠は４つの段階に分けられる。

ステージ１：寝入りばなのように、ウトウトしてまどろんでいる状

10　なぜ、眠らないといけないの？　　**95**

態だ。起きている状態から眠りの状態に移行する段階。
ステージ2：浅い眠りで、このときの脳波を測定すると、現実と夢のあいだを行ったり来たりしているときの波形が現れる。
ステージ3・4：深い眠りで、脳の活動レベルがもっとも低い。

　一方、レム睡眠のときには、脳は起きているときと同じように活動しているのに、それに気づかず、身体はじっと眠っているという、とても不思議な状態になる。夢を見るのはおもに、この段階だ。目は動いてるんだけど、ほとんどの筋肉は、麻酔にかかったみたいに動かない。

　ふつうは、まず深い眠り＝ノンレム睡眠から入って、1時間ほどでレム睡眠に変わり、その後、またノンレム睡眠に入る、というサイクルをくり返す。

　この睡眠サイクルは、1周がだいたい60分から90分。ということは、たっぷり4周しようと思ったら、6時間は眠らないといけないってことだ（6時間じゃ短い。もっとたくさん寝なきゃダメだぞ！）。

ぐっすりおやすみ

古代ギリシャ人は「眠り」を神に見立てて、ヒュプノスという名前を与えた。

フェニキア人は、安らかな夜を迎えるためのお守りを、ベッドに飾ったり、首にかけたりしていた。

ネイティブ・アメリカンは、いまでも、悪夢を捕らえて防いでくれるという「ドリームキャッチャー」をつくっている。これは動物の骨や革、銀などでできたお守りで、寝床の上につるしておいて、ときどき揺りうごかしたりする。

ヨーロッパ諸国の民間伝承には、子どもの目に砂をかけて眠くさせるサンドマン（砂男）という妖精が出てくる。

日本にも、昔から、獏という架空の動物が悪夢を食べるという言い伝えがある。獏の絵やお札が縁起物として使われたんだ。

きょうも山ほど羊ちゃんを数えるか……。

ヒュプノス、私のベッドへ！

10 なぜ、眠らないといけないの？

動物は、どうやって眠る？

ナマケモノ
木につかまって、揺られながら19～20時間も眠る。眠るときには足の筋肉がゆるんで、自動的に木に巻きつくようになっているんだ。

チンパンジー
睡眠時間はきみと同じくらいで、約9時間だ。レム睡眠があることが、研究でわかった。木の上で眠る。

コウモリ
頭を真下にした状態で、約20時間眠る。夕暮れどきに目を覚まし、狩りに出かける。木にぶら下がって眠ったり、洞窟のなかで眠ったり。1匹で眠ったり、集団で眠ったりする。

渡り鳥
脳の半分ずつをかわりばんこに眠らせることで、高度1万メートルを飛びつづけることができるんだ！

イルカ

イルカも渡り鳥と同じように、脳を半分ずつ眠らせる。片目を閉じて、片目を開いているときがそうだ（右目を閉じてるときは左脳が、左目を閉じてるときは右脳が眠っている）。危険に備えて、2頭で並んで泳ぎながら寝ていることが多い。睡眠時間は約7時間だけど、若いイルカは12時間も眠るそうだ。泳ぎながら眠ることで、体温を逃がさない効果もあるようだ。

めざましセットした？

休憩、休憩っと

馬

馬は立って眠ると、よくいわれる。たしかにそれも可能なんだけど、横になれる状況のときには、横になって眠る。立ったまま休息するときには、右足と左足を交替で休ませるんだ。だから、完全な直立姿勢にはなっていない。

昼寝の科学

　中国では、労働者の休息の権利が憲法に明記されていて、スペインとメキシコでは、シエスタ（昼寝をしたりしてリフレッシュする長めの昼休み）が制度として定められている。

　日本でも、昼寝の効果が見直されつつある。昼寝は、20分くらいとるだけでも、心身のエネルギーを回復させ、チャージすることができる。効果抜群だぞ。

> 私の脳はシエスタ中だよ！

夢って、なんなの？

　うーん、その質問に即座に答えられるようなら、苦労はないんだけどな！　夢は現実に起こるだろう何かを知らせるメッセージ（予知夢とか正夢ってよばれる）かもしれないし、欲望や願望のあらわれ、はたまた過去の記憶かもしれない。

　古代ローマ人たちは、悪夢（恐ろしい夢）を、眠っている人の上に悪魔が乗っかって苦しめていると考えていた。

　19世紀末以降、心理学や精神医学では、頭のなかで起こることにはすべて理由があり、偶然ではないとし、長きにわたって夢分析

100

に取り組んできた。それでも、夢の正体は謎だらけなんだ。

　夢の見方はいろいろだ。細部までくっきりと正確な夢もあれば、筋道がなくて、支離滅裂なイメージの連続のような夢もある。レム睡眠でもノンレム睡眠でも夢は見るけど、レム睡眠中に見る夢は複雑だ。

　起きる直前に見ていた夢や、週末や休日に見た夢などは、わりと記憶に残りやすい。

　夢を忘れないようにするためには、目が覚めたらすぐに夢の内容を何度も声に出すか、枕元に置いておいたノートにメモするのがコツだ。

　そうしないまま、起きてすぐにトイレに行って、パジャマを脱いで、朝ごはんを食べて……ってやっていたら、夢の記憶はなくなってしまう。星のようにまたたいて、気づけば消えているんだ。輝きが鮮明なうちにとどめる努力をしよう。

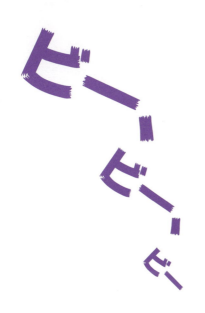

11 知能は測定できる?

きみにとって、天才って、だれのこと? レオナルド・ダ・ヴィンチ、モーツァルト、ヘディ・ラマー(女優で発明家。のちの携帯電話につながる技術を開発した)かな? 物理学者のエンリコ・フェルミ? じゃあ、ビリー・アイリッシュは? レディー・ガガは? うん、かれらはまちがいなく天才だ。

自分もそんなふうになりたいって、みんな、いちどは思うものだよね。でも、天才って、どういう人のことをいうのか、定義するのはとても難しい。

各分野で活躍した「天才」たちを見つけるには、さまざまな賞を調べてみるという方法がある。ノーベル賞は、スウェーデンの権威あるアカデミーが毎年、物理学、化学、生理学・医学、文学、平和、経済学の分野で選考する。数学界のノーベル賞といわれるフィールズ賞や、偉大な俳優に贈られるアカデミー賞などもある。

だけど、受賞者をだれにするかというのは、毎年の議論のタネだ。それはなんといっても、才能を評価するものさしがないからだ。知

能を測るために一般的にもちいられるテストでは、マルかバツかで評価できる"答え"がある問題に答えを出す能力しか測れないからね。かれらの並はずれた能力を評価する基準は、ひじょうにあいまいなんだ。

スポーツなどの分野で見られるのは、自分の身体を思いのままにあやつり、信じられないようなパフォーマンスを発揮する能力だ。その年の最優秀サッカー選手に贈られるバロンドールや、最優秀アスリートに贈られるオリンピックのメダルで評価され、基準は比較的わかりやすい。

ではいったい、何が測れて、何が測れないんだろう。そもそも、才能を測ることじたい、意味がないのでは？

スタートは、みんな同じ

ぼくたちの脳は、生まれたときの構成要素はみんな同じで、脳の体積の成長の度合いも同じだ（世界平均は1450立方センチメートル）。アインシュタインの脳の切片はいまも大事に保存されているけれど、天才の脳と凡人の脳では何が違うのかと言われると、その潜在能力はまったく同じなんだ。

どんな刺激をどれだけ受けるかは、生後1日目から（いや、たぶんおなかのなかにいるときから）、脳の成長に大きな影響を与える。身のまわりでいろんなことが起これば起こるほど、ニューロンは発達し、たがいに結びついていく。

だから、赤ちゃんにはたくさんかまったり、ことばをかけたり、いっしょに遊んであげたりするのがいい。それらの時間を増やせば増やすほど、脳の成長をうながすことになる。

乳幼児期が重要であるように、ニューロンどうしをしっかりつないでいくためには、学校に通うことも大事だ。

　「大人はすぐこれだよ」なんてため息をつくまえに、たった100年前まで、ヨーロッパの子どもの半分がろくに学校に通えていなかったことを思い出そう。いまでも世界には、学校に通えない子たちがたくさんいることを考えてごらん。きみがどれだけ恵まれてるのかがわかるはずだよ。

世界一難しいタクシー免許試験

　ナレッジ試験――。knowledge＝"知識"の名をもつこの資格試験は、イギリスの首都・ロンドンのタクシー運転手になるための試験だ。世界一難しいといわれ、ロンドンのすべての道と主要な地点を、完璧に暗記することが求められるんだ。

　その結果、晴れて合格したタクシー運転手たちは、記憶をつかさどる脳の部分（海馬）が、ほかの人よりも発達していることがわかった。

　きみも、紙の地図と見くらべながら街を歩いて、「空間記憶」をきたえてみよう。地図アプリに頼るよりも、はるかに有効な、脳を活性化させる方法だ。

生まれたときは、みんなバカ

生まれたとき、脳はすでに、大人の60〜65％の大きさがある。完全に「頭でっかち」な状態だ。

最初の１年で脳は大きく成長し、大きさについては７歳で実質的にほぼ成長が終わり、10歳までの期間で神経回路を補強していく。

ピーターパンの作者であるＪ・Ｍ・バリーが、「10歳を過ぎてから起こることに、ほんとうに重要なことは何もない」と書いているのには、それなりの理由があるんだ（もちろん、10歳以降の経験も同じくらい大事だぞ！）。

幼い子は、食卓からスプーンを落としたとき、そこから万有引力の法則を学んでいる。風呂のなかでお湯をバシャバシャやるのは、どれだけ暴れたら、どのくらい水があふれるかという実験をして、

ＩＱって？

知能検査の結果は、ＩＱ（知能指数）という数値で表される。じつは、このテストの信頼性は低い。ほとんどの人は、だいたい85から115までの範囲。数値が高い人は、たんに、こういったテストを受けるのに慣れている場合が多いんだ。

このなかで仲間はずれは右から３番目のトマトだよ！

カリカリ

流体力学を学んでいるんだ。すべての経験は知性となる。だから、あまりしかりつけずに、やらせてあげること。家じゅうを水浸しにしないていどにね。

20歳までは、さまざまな状況判断をおこなうための経験を集める脳の領域が発達する。だから、思春期の少年少女は、とんでもなく危ないことや、どうしようもなくバカなことをしでかしたりする。14、5歳でも車を運転することはできるかもしれないが、法律で許されるのは18歳になってからだ。事故を起こしたりしたらどうなるか、その影響や結果を、頭においておく能力が必要だからだ。

だから、「思春期の子どもがバカなことをするのは、生理現象のひとつ」というのは、へたな言い訳なんかじゃなくて、科学的根拠があるものだ。

12
脳は学ぶのが好き？

脳がものごとを学ぶのには、いろんな方法がある。遺伝情報みたいに、はじめから脳内に書きこまれているものもあるし、小さいころに自然に覚えて、あたりまえの知識として身についていることもある（コップのつかみ方なんかがそうだね）。

野生のネズミは、キツネを見たことがなくても、キツネのにおいをかぐと、あわてて逃げだす。ネズミのなかで、キツネのにおいと「逃げろ！」という指令が結びついていることは明らかだ。

たとえば、こんな実験がある。2匹のネズミを母ネズミからひき離して育てる。つまり、2匹は、母ネズミから何も教えてもらっていない。そうしておいて、2枚の紙切れ（バナナのにおいのするものとキツネのにおいのするもの）を近づけてみる。はじめ、2匹はバナナのにおいを興味深そうにかぎはじめる。でも、キツネのにおいを

かいだ瞬間、心臓をバクバクさせて、大急ぎで隠れてしまう。

なぜ、そんなことが起こるんだろう。だれからも教わってないのに。

空気中に分子としてただようキツネのにおいは、風で運ばれ、ネズミの鼻にもぐりこみ、ニューロンの受容体を刺激する。その信号は脳に届き、まっすぐに扁桃体に送られる。扁桃体、覚えてるかな？　そう、恐怖を感じたときにスイッチが入る脳の部分だ。

扁桃体は、身を守る行動をするためのニューロンに指令を出す。そこでネズミは、逃げたり、爪をむいたり、うなったり、毛を逆立てたり、反撃しようとしたりする。

キツネに出会ったことがなくても、ネズミのなかには、キツネのにおいと恐怖が結びつくルートが用意されてるんだ。

同じように、人間も、生まれたときから脳が持っている情報があり、身体は無意識に反応してしまう。ぼくたちは、自分がどんなものに反応しやすいか、しにくいかということを、そのつど学習し、発見しながら生きていく。自分について、大人になっても気づいていないことはたくさんある。脳という入れものが完成してからも、学ぶべきことはまだまだいっぱいあるんだ。

脳をきたえる学び方って？

古代ギリシャ人の時代から、「学ぼうとする人は、いずれ成功する」といわれてきた。不器用なおじさんでも、そのうちバック駐車ができるようになる。きみだって、料理ができるようになる。自分に自信をもって、時間さえかければ、きっとね。

忍耐力と毎日の努力が差をつける。

クラスの友だちを見て気づくと思うけれど、ある科目が得意な子もいれば、苦手な子もいて、いろいろだ。だけど、ほんとうになにもかも苦手だという子はいない（勉強はぜんぶ苦手だって？　世界は学校だけじゃない！）。

両親の国籍が違っていたり、子どものころに外国に住んでいたりしたら、あたりまえのようにふたつの言語を話せるだろう。うーん、うらやましい！

でも、ちょっとしたくふうをすれば、おじいちゃん・おばあちゃんになっても、きみの脳は新しいことばを覚えることができる。

ほんとうになにもかも苦手な子はいない

12 脳は学ぶのが好き？　111

脳をきたえられるように学びたいって？　よし、つぎのふたつのアドバイスに従うんだ。ぜったいに損はさせない。

ひとつめのアドバイスは、「みんなで学ぶ」ということ。これはめちゃくちゃ効果がある！

ぼくたちホモ・サピエンスは、生まれつき協調性を備えている。原始時代には寿命がいまよりずっと短かったわけだが、幸運にも40〜45歳まで生きることができたホモ・サピエンスのほとんどは、集団で行動していた。知恵や知識を共有し、助けあったからだ。

グループで勉強する人、チャレンジしてみる人、はずかしがらずに助けを求める人は、そうでない人にくらべて、脳がよく働き、頭の回転が速いということが、科学的に証明されている。

つぎに、ふたつめのアドバイスだ。よーく聞いてほしい、それは……楽しむこと！

何かを新しく学んだとき、「楽しい！」と感じると、脳は、学んだことをかんたんに忘れたりはしないんだ。その知識を強固にするシナプスをつくりだすためのタンパク質が増えて、知識は、より長

わっはっは！

いあいだ保存されることになる。

　一方で、たんに丸暗記した知識は、脳にポストイットを貼りつけたみたいに不安定だ。ぽろっと落ちて、気づけば、どこに行ったかわからない。

　楽しみながら、または脳に適度なプレッシャーをかけながら学ぶことで（クイズ形式で問題を出しあう、自分でミニテストをつくってやってみるなど）、より強固で柔軟な知識を得ることができる。つまり、いつ、どうやって学んだのかを覚えていなくても、その知識が必要になったときには、ぱっと頭に浮かぶんだ。

脳にはひまな時間が欠かせない

　へんに聞こえるかもしれないけれど、脳が何かを学ぶためには、適度なひまが欠かせない。だから、両親に頼んで、ひまな時間をつくってもらおう。

　脳は刺激を必要とする。でも、何もすることがない時間も必要なんだ。それは、学んだことを吸収するための、１日のうちで何もしなくてもいいというぜいたくな時間だ。だれかに連絡する必要もなく、ひとりで自分自身をつくりあげることを学べる。スマホもテレビもパソコンもいらない。きみに必要なのは、「からっぽであること」。

　そんなとき、考えをめぐらせてみる。クローゼットのなかの服を見て、いつ買ったかを思い出したり、家のなかをぶらぶらしたり、キッチンの引き出しを開けて、料理している自分を想像したり、あたりを気ままに散歩したり。

　ウォーキングは、アイデアを得たり、学んだことを発見したり、

12　脳は学ぶのが好き？　113

集中力をとりもどしたりするのにぴったりだ。自転車を持ってるなら、サドルにとび乗って、あてもなく走りだすのがいい。そのへんを一周してもいいし、地平線の向こうまで走りつづけたっていいんだ。

男女の脳に違いはない

たぶん、こんな話を聞いたことがあるだろう。「女性の脳と男性の脳は違う」「女性のほうが得意なことと、男性のほうが得意なことがある」。これらは大ウソだ。

脳の構造や使い方には、男女でなんの違いもない。「女性らしい特徴」や「男性らしい特徴」なんてのも存在しない。

女性も男性も、同じように天才になれる。歴史上、女性の天才は、男性の天才と同じだけ存在した。たしかに、天才として名を残した女性は、男性より少なかったが、これは、脳の問題とはまったく関係がない。

1963年にノーベル物理学賞を受賞したマリア・ゲッパート＝メイヤーは、女性だという理由で研究費がもらえず、同僚よりも厳しい条件で研究をおこなうしかなかった。また、同じく物理学者のリーゼ・マイトナーは、共同研究者のオットー・ハーンとともに核分裂の発見を成しとげたが、その業績はすべて男性であるハーンのものとなった。

作家のジョルジュ・サンドは、アマンティーヌ＝オーロール＝リュシル・デュパンという本名を隠し、男性をよそおって作家活動をおこなった。

そんな偏見は、昔のことだろって思う？　だったら、「ハリー・

114

ポッター」の作者が本名のジョアン（女性名）じゃなく、J・K・ローリングというペンネームで作品を発表したのはなぜだろう？
　もって生まれた才能を適切に発揮できるかどうかは、さまざまなものに左右される。どういう環境で育ったか、何を教わってきたか。身体的な条件や健康状態。自分をとりまく社会のルールや規範。それらの無限の組み合わせによって左右されるんだ。

13
脳をだますことはできる？

　もちろん！　なんらかの物質が神経に作用することで、脳はかんたんにだまされる。

　まず、向精神薬とよばれるもの。治療薬のほかに麻薬（ドラッグ）もふくまれる。それから、チョコレートやコーヒーにふくまれるカフェインなども変化を引き起こす。

　カフェインは脳に作用して、とくに心拍数や呼吸数を増加させる効果がある。コーヒーが「目を覚まさせる」といわれるのは、このためだ。19世紀の作家、バルザックなんかは、1日に40杯もコーヒーを飲んだという。

　じつは、コーヒーは、世間で思われているように疲労を解消して

くれるものではなく、たんに、疲労を感じなくさせているんだって。だから、カフェインが切れると、残念ながら、疲れがどっと襲ってくる。

緑色の憎いやつ

脳をだます物質があるように、脳を元気にしてくれるものもたくさんある。自然界の植物を見てみよう。たとえばバジル（香草）は、ピザにいい香りを加えてくれるだけじゃなく、神経系に刺激を与えて活性化する成分をふくんでいる。

緑茶は、精神的な疲れをいやし、記憶力の向上にも効果があるとされている。緑茶の消費量がとても多い日本では、緑茶を飲むことには認知症のリスクを減らす効果があるのではと、精力的に研究が進められている。

お酒とタバコ

ワインは、適量なら、身体にいい効果をもたらすといわれている。だけど、適切な飲み方をしないと、とても危険でもある。ワインにふくまれるアルコール成分が脳の信号伝達のメカニズムを阻害し、

気分が悪くなるのはもちろん、思考能力や運動機能を損なってしまうんだ。（それから、エナジードリンクといっしょに飲んじゃダメ！）

それから、タバコにふくまれるニコチンには、ひじょうに即効性があって、ほんの10〜15秒ほどで満足感をもたらしてくれる。でも、長い目で見ると、脳に悪影響を与え、特定の知的能力を鈍らせる。そしてなによりも、薬物の基本的な性質として、依存性（やめられなくなること）がある。

数字の話

日本では、中学生の2割、高校生の5割の人に飲酒経験があるという。タバコについては、未成年者の3％に喫煙経験があって、なんと1〜2％は毎日吸っているらしいんだ。タバコの害は、こんなにわかってるのに！

薬物って？

深刻でとり返しのつかない結果をもたらす向精神薬を、とくに麻薬（ドラッグ）とよぶ。多くの場合、危険性が高く、法律で使用が禁止されている。

脳の働きを抑える薬

これらは、神経系を眠らせる作用をもつ薬物だ。治療薬として使われる精神安定剤、睡眠薬、抗不安薬などは心を落ち着かせる。

モルヒネは、アヘンという物質から生成される強力な鎮痛剤で、末期患者などに投与される（植物のケシが原料）。モルヒネを合成してつくられるヘロインは強力な麻薬で、ひじょうに強い依存性があり、心身に大きなダメージをもたらす。

脳の働きを増やす薬

一時的に精神を高揚させ、疲労感やストレスをまひさせるたぐいの薬物もある。代表的なのは、南米でコカの木の葉からつくられる天然麻薬のコカイン。使った結果として、極度の体重減少、いつもビクビクとおびえたような感じ、抑うつ、被害妄想などを引き起こす。コカインを加工した、クラック・コカインのような化合物もあり、

脳にとり返しのつかない損傷を与える。MDMA（通称・エクスタシー）などの合成麻薬も、同様の被害をもたらす。

幻覚剤

幻覚とは、じっさいにはないものがあるように見えること。もっとも有名な幻覚剤は、LSDとメスカリンで、1960年代から70年代にかけて、トリップとよばれる感覚を味わうために広く使用されていた。ものや光がゆがんで見え、色彩感覚が変化し、危険な行為を危険だと思えなくなってしまう。

ソフトドラッグとよばれるハシシとマリファナは、どちらも大麻草を原料としている。樹脂として抽出したものがハシシで、葉や花穂を乾燥させたものがマリファナ。リラックス感と無気力状態をもたらすとされている。どちらも幻覚を引き起こし、記憶力を低下させる。

自分をだます脳

　薬物なしでも、脳は、自分でトラブルを起こすことがある。目の錯覚については覚えているよね。また、脳の働きには、ゆっくり考えて処理される遅いものと、いちいち考えずに処理される速いものの2種類があることについても見てきた。

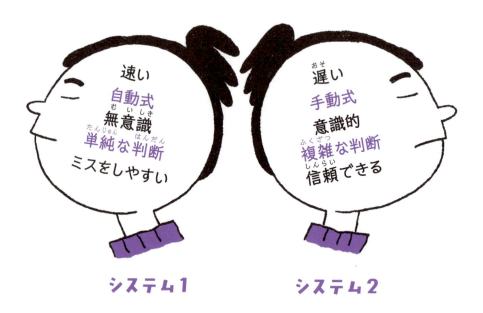

　システム1はとても機敏で、無意識のうちに、過去に観察したことと似ているかどうかにもとづいて、あるできごとがほかのできごとに続いて起こる確率を、すばやく効率的に計算する。

　たとえば、だれかに似た人を見ると、直感的に、その人に同じようなふるまいを期待してしまう。システム1による、こうした脳の働きを「カテゴリー化」という。

　カテゴリー化は、ものごとを自動的に判断するぶん、脳のエネルギーは節約される。でも、この能力が発揮されすぎて、「こういう

種類の人がとる行動は、こうあるべきだ」と思いこんでしまうことがある。それはただの「偏見」だ。偏見を壊すためには、ものごとをじっくり考察するのが得意なシステム２の助けが必要だ。

　ぼくたちはみんな、カテゴリー化で動く脳をもっている。カテゴリー化は社会的であるために必要なものだ。ぼくたちは、他人とかかわりたいし、そこに期待をして生きているからね。だけど、カテゴリー化は、くり返すたびに視野がせまくなり、細部にとらわれ、思いこみを裏づける情報を探して記憶する傾向がある。こうして偏見は大きくなっていく。

　つまり偏見は、理性をくもらせて錯覚を起こすものであり、深く考えるのをサボったことの当然の結果だ。偏見は、いったんハマるとなかなか抜けだせないともいわれる。それがもっともラクで慣れている思考方法だからだ。

14

脳(のう)も病気に なるの?

　身体が病気になるように、脳も病気になることがある。たとえば、事故(じこ)にあったり、頭を強く打ったりして、脳にダメージを受けた場合。勢(いきお)いよく転んだりするのも危険(きけん)だ（だから、自転車に乗るときは、ヘルメットをかぶるのが大事なんだ）。13章で学んだように、有害な物質(ぶっしつ)をとり入れることで、脳に障害(しょうがい)が出てしまうこともある。

　でも、そういうのとは別に、時間をかけて進行する神経(しんけい)の病気もある。

125

アルツハイマー病とパーキンソン病

アルツハイマー病とパーキンソン病は、もっともよく知られている脳の病気だ。どちらも、最初に症例を報告した医師の名前が病名になっている。

アルツハイマー病は、記憶力や知的能力の低下が進む病気だ。日常生活に支障をきたす認知症をもたらす。

パーキンソン病は、脳が管理しているさまざまな自律運動のコントロールがきかなくなっていく病気。震えやこわばり、姿勢が不安定になって転びやすくなるなどの症状が現れる。原因は不明で、まだ根本的な治療方法はないんだけど、症状をやわらげることは可能だ。

ストレスによる不調

強い**ストレス**を受けたとき、病気のように感じることもある。あいつぐ引っ越し、難しすぎるテスト、ロックダウンで3か月間も家から出られない……など、何か特別な状況にさらされているとき、身体的または精神的に、強い緊張状態におちいる。

ストレスを感じると、脳は、呼吸数や心拍数を増加させ、筋肉を収縮させるホルモンを分泌する。これによって、無気力になったり、興奮したり、汗をかいたり、動けなくなったり、イライラしやすくなったりする。こうなると、

> **ストレス**
>
> 英語で「緊張」を意味することばだけど、イタリアでは1955年から、精神的に抑圧されている状態を表す医学用語として使われている。昔からあるのに、だれだい、「ストレスは現代の病だ」なんて言ったのは？

速い思考・遅い思考のふたつのうち、遅いほうをつかさどる脳は、きみを正常にもどしてやるのにめちゃくちゃ苦戦する。風邪で頭がガンガンするときみたいに、イライラして、判断力を失いがち。ひとことで言うなら「最悪な気分」だ。

ここから抜けだす方法は、ゆっくり休む時間をつくること、食事の量や質を整えて栄養バランスを考えること、たっぷり眠ることだ。さらに、効果抜群の秘密兵器がある。めちゃくちゃ単純だけど、ふざけてるわけじゃないぞ。それはね、日々の小さな安らぎの積み重ねさ。

精神疾患

　きみの脳は、アンテナのついたテレビみたいなもので、つねに情報を送受信している。だけど、その電波が乱れてしまうことがある。それは人生のどのタイミングでも起こりうる。一瞬でもとにもどることもあれば、場合によっては、もとにもどらないこともある。

　この状態が長い期間続くのが「精神疾患」といわれるものだ。この病気は、思考方法、集中力、問題解決能力、感情の処理方法など、内面的なものすべてに影響を与える可能性がある。

　精神疾患の原因は無数にあるが、その多くが、いまだに解明されてない。統合失調症という病気には、さまざまな症状がある。現実をゆがめて認識してしまう、だまされたり尾行されたりしていると感じる、幻覚を見る、実在しない人と会話するなどだ。

　うつ病は、気分障害とよばれる病気のひとつ。気分の変化が心身に影響をおよぼして、日常生活に支障をきたす。日本でも、多くの人がうつ病で悩んでいるといわれているんだ。

　重大な症状が残るような重度の疾患は、精神科医の領域だ。症状が軽ければその必要はないけれど、本人や家族が悩んでいるなら、心療内科や精神科のクリニックを受診したほうがいい。

リッキーって、どうしていつもそんなにおもしろいの？

狂"帽"病？

19世紀のヨーロッパでは、帽子工場で働いていた人、とくにフェルト製の帽子を製造していた職人の多くが、精神に異常をきたしたといわれる。

これは、フェルト加工に使われていた水銀のせいだった。その蒸気を吸いこむことで、ニューロンどうしのつながりが破壊され、帽子職人の脳に重い障害を与えることになったんだ。

脳が傷つくと、どうなる？

脳は、たとえ一部だけでも、一定の時間、じゅうぶんな血液が供給されず、燃料である酸素やブドウ糖が不足すると、その部位や周囲の部位がダメージを受けてしまう。これが虚血だ。虚血は、外傷によっても起こることがある。

血流が回復しても、ダメージを受けた部分の機能はもどらないこともある。その症状は患部によって違うけれど、もっとも多いのは、会話が困難になったり、身体の一部がまひしたりすることだ（脳の右側にダメージを受けると、身体の左側に影響が出る。脳の左側の場合は、身体の右側に）。手足や顔の片側の筋肉が、うまく動かなくなったりすることもある。回復はたやすいことではないが、不可能じゃない。

刺激を受けとって感覚や決断を処理する脳の部分が、きたえられていればいるほど、回復する可能性は高くなる。

　それから、なんらかの理由で、意識を失って、寝たきりの状態になることがある。これを昏睡という。意識がなく、刺激に反応せず、覚醒させる方法もない状態だ。生命活動が止まってしまったわけではなく、かといって、目覚めることもない、その中間の状態なんだ。

　昏睡はいまでも大きな謎とされている。患者がまったく動かない静かな昏睡状態と、逆に、身体がつねに動き、震えが続く昏睡状態がある。

　昏睡からそのまま死に至ることもあれば、目を覚ますこともある。目覚めた人は、夢のようなぼんやりした記憶をもっていることが多い。すぐに回復する場合もあるけれど、以前と同じような状態に回復するには、かなりの努力が必要だ。

みずからをつくりなおす脳

　損傷したニューロンは再生するのか。その研究は、現在も続いている。大人のネズミを使った研究では、再生することがわかっている。ヒトの大人の脳でも確認されてはいるけれど、くわしいところは、まだはっきりしていないんだ。

　でも、わかっていることもある。脳には、ダメージを受けた部位の機能を、別の部位が補う力があるんだ。視力を失った人は、ほかのニューロンをうまく利用して、別のやり方で「見る」ことを可能にする。

　子どもの脳ほどその可能性は大きく、年齢とともにこの力は薄れていく。だけど、粘り強く熱心に脳に「お願い」すれば、大人でも目覚ましい結果を得たケースがあることが、いくつも報告されている。

14 脳も病気になるの？

15
AIは脳を超えられる？

ぼくたちの身体はつねに再生活動をおこない、毎秒数億個の細胞を生みだしながら、日々変化している。とはいえ、変化の度合いは、年齢によっても変わるし、必要におうじても変わる。

たとえば、ひざの皮をすりむいたら？　そう、だんだん治るよね。じゃあ、お父さんの髪の毛は？　残念ながら、もう生えてこない。階段から落ちてしまったおじいちゃんは？　若いときほどすぐには回復しないから、少し足を引きずっている。

脳も同じだ。若いころには、記憶をつかさどる海馬の約2％が入れかわり、いらない記憶を捨てて新しい記憶を得ることができる。もちろん、つねに新しい思考も生まれてくる。

脳の機能をすべて解明するには、まだまだ時間がかかるけど、将来、生物としての肉体とは切り離された、完全に人の手による脳を

133

つくりあげることができるとしたら――。どう？　ドキドキしてこない？

それこそが、人工知能（AI）だ。

知性をもった機械

人間の頭で考えていたら何年もかかるような、何千通り、何万通りものパターンをコンピュータに学習させることを、ディープラーニングという。ディープラーニングは、AIを開発する技術の基礎になっている。

機械が人間の脳に追いつくなんて無理だって思う？　たしかにAIは、その開発者たち自身が認めているように、まだまだ頭が悪い。AlexaとかCortanaとかSiriとかいうしゃべる機械が、きみにとってはめちゃくちゃかんたんな質問に、トンチンカンな答えを返してくるのを考えてみれば、わかるよね。問題の意味すら理解できていないこともある。

だけど、AIの成長のスピードには、目を見はるばかりだ。

SF小説や映画に描かれるようなAIを実現するためのもっとも重要なカギは、インターネットだ。コンピュータが大量のデータに自動的にアクセスでき、無数の似たようなデータから、その特徴をつかみ出すことができる環境が必要なんだ。

これは、無数のニューロンが接続している脳と同じだ。AIは、1000万枚の猫の画像を見つづけることで、猫の特徴をみずから認

識し、猫を識別することができるようになったんだ。IBMのコンピュータ「ディープ・ブルー」が、チェス選手の手を膨大に学んだことで、1997年、世界チャンピオンのガルリ・カスパロフに勝利した。そのときから、コンピュータはさらに進化を続けている。

感性なら負けないぞ

AIの能力が飛躍的に向上しているのは事実だ。だけど、おそらくコンピュータがけっしてまねできない脳の能力がある。それは「感性」だ。論理的に情報を収集することについては、コンピュータがむしろ優勢。だけど、ここで人間は、感情（喜び、悲しみ、好き嫌いなど）や個人的な経験に照らして、情報にフィルターをかけるんだ。このフィルターが感性で、人それぞれ異なっている。なぜ、人それぞれ異なる感性をもつのかは、まだよくわかっていない。感情も個人の経験も、いまのところ、コンピュータが認識も整理もできないたぐいのデータだ。

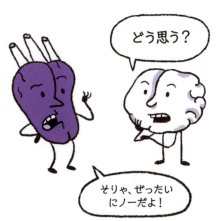

機械の思考方法

コンピュータは、指示された思考方法にしたがって行動する。この指示は「アルゴリズム」とよばれる。コンピュータの思考方法をプログラミングするための、めちゃくちゃ複雑な計算の手順を示したものだ。

世界一有名な検索エンジン、Googleを動かしているのも、アルゴリズムだ（その内容はトップ・シークレットで、つねに更新されている）。どのページをトップに表示するか、そして、いかにユーザーごとに異なる検索結果を表示するかを、アルゴリズムで決めている。

近年は、AIが、命令されていないことについてもみずから考え、ものごとの本質をとらえられるようになるかが大きな課題となっている。かれらは、考える方法じたいを考えるようになるんだろうか。それとも、与えられたレールの上だけで、思考の速度を上げていくんだろうか。

ヒトに至る脳の歴史

300万～280万年前

一部のアウストラロピテクスが、石器を使いはじめる。人類史上初の道具だ。

318万年前

ひとりの猿人が、木の上からあたりを見まわしている。彼女の名前は「ルーシー」。安定した二足歩行のおかげで手は自由に使え、頭は背骨で支えられている。アウストラロピテクスという種類の猿人だ。

210万年前

ホモ・ハビリスが現れる。頭が大きく、手を使って何かをするのが得意だった。

AIがその両方をできるようになるという未来予想図は、少し恐ろしい。プログラミングしたぼくたち人類よりもすぐれた思考力とスピードをもつようになるとしたら？

　未曽有の大発見と可能性に満ちた時代がやってくる。変革のときがいつもそうであるように、熱狂と、少しの不安をはらみながら。

200万年前

ホモ・エレクトスは移動を続け、アジアにまで到達し、世界を発見した。そして、それまでとくらべて飛躍的に発達した文化を形成しはじめた。

60万年前

ホモ・ハイデルベルゲンシスの登場だ。アフリカやヨーロッパに生息し、頭蓋骨の容量は現生人類とほぼ同じだった。

20万年前

そしてついに、ホモ・サピエンスの誕生だ。ぼくたちは、ほかの霊長類（ゴリラ、ボノボ、チンパンジー）と98％のDNAが同じだけど、残り2％の特別な部分を使いこなして進化してきた。だれもぼくたちを止めることはできない！

160万年前

ぼくたちのご先祖さまが、火を使ったり、木の道具をつくったりするようになった。これによって、脳はさらに成長した。

15 AIは脳を超えられる？　137

じゃあ、またね

　ようやく、ここまでやってきた。これで、脳についてはひととおり学んだことになる。よくがんばったね。

　とはいえ、本番はここから。その知識を生かすのは、ほかでもないきみたちだ。

　これからの時代は、脳やAIの研究が飛躍的に進むだろう。頭のなかで何が起こっているのか観察するために、髪の毛ほどの小さな穴を開けたり、毛細血管のなかを旅することができるほど細い医療器具ができたりするようになるだろう。SF映画『ミクロの決死圏』みたいな世界は、すぐそこだ。

　そうなれば、未知のものごとをどんどん解き明かし（まだまだ多くの謎がある！）、いまぼくたちをおびやかしている病気の多くを克服することもできるだろう。

　ぼくたちは、この本のなかで、多くのことを知った。世界中のだれもが、はじめは同じスタートラインに立っていて、さまざまな状況や偶然、幸運や不運が無限に重なってぼくたちをつくりあげていること。また、脳にだまされて、ありもしないものを目にすることがあること。記憶とは、過去に起こったことをいま、新しく再現しているんだというメカニズムも学んだ。つまりそれは、過去は、イコール、未来でもあるということだ。

　それから、恐怖を感じるのは脳が健全な証拠であり、勇気はきみを成長させる原動力だったね。

才能は、どこにでも眠ってる。ぼくたちのまわりにも。そして、才能の定義はひとつじゃない。生まれもった才能というものもあるけれど、目標を達成するために何かに取り組んでいる人がもっている「努力する才能」もある。だれもが目標に向かって集中し、情熱を傾けることができるんだ。

そうなんだ。脳を働かせるには、情熱が必要だ。理由なんていらない。きみの人生において、やりたいこと、できるようになりたいことを実現するためには、心の奥底で感じなくちゃいけない。

いいかい、情熱というのは……、聞いてるのかい？　あれ、おーい、どこへ行った？

やれやれ。ま、いいさ。こうなるのは予想できたことだ。どうせ、ほかにやりたいことをしに飛んでいっちゃったんだろう。まったく問題ない。いずれにせよ、この本はここでおしまいだし、なによりも、きみは情熱にあふれている。情熱がある人は、けっして時間をムダにしないものだからね。

140

日本版監修者あとがき

　脳というと、多くの人が、やわらかいプリンのような塊を思いうかべるんじゃないかな。でも、この1300グラムの塊のなかでは、ニューロンとよばれる脳細胞がところせましとぎっしりつまっていて、縦横無尽に軸索を伸ばして回路をつくり、電気信号がビュンビュンと飛びかっている。──なんて想像するだけで、とてもワクワクするよね。しかも、まだくわしいことはぜんぜんわかっていないときたら、自分でその謎を解き明かすしかないよね。

　みんなが読んでくれたこの本は、イタリアで、いや世界中で大人気の児童文学作家のピエルドメニコ・バッカラリオさんが中心となってはじめた「LE 15 DOMANDE（15の疑問）」というシリーズのうちの一冊なんだ。このシリーズは、ほかにも経済や歴史、宗教など、みんなが知りたかった話題を、小学生の高学年や中学生でも読めるよう、わかりやすいことばと愛らしいイラストで解説している。今後、ほかの巻も続々と日本語訳されるようだから、ぜひコンプリートしてほしい。

　経済にせよ、歴史にせよ、宗教にせよ、すべては人間の脳がつくりだしたものにちがいない。脳は、どうやってぼくたちの思考や行動をつかさどっているんだろう。

　　ニューロンは、きみのすべての思考と動作をつかさどっている。意識的なものと無意識的なもの、本能的なものとじっくり考えたうえでのもの、すべてをだ。（10-11ページ）

　この本では、こんなふうに書いていたけど、脳のなかにはニューロン以外にも多くの登場人物がいることは、意外にもあまり知

られていないようだね。このあとがきを読んでくれたみんなにだけ特別に教えてあげよう。じつは、脳のなかにもWi-Fiのようなワイヤレス伝送のしくみがあるかもしれないんだ。

　これこそが、きみ専用のライブ・ストリーミングチャンネル「マイ・ライフ」だ。Wi-Fiじゃなくて、すべて有線接続でおこなわれている。なに、時代遅れだなあって？（25ページ）

　脳は時代遅れなんかじゃない。いつだって最先端なんだ。脳には、人間がまだ実用化できていない情報伝達のしくみがあるかもしれないんだって。脳とコンピュータはぜんぜん違うものだ。いちばん違うのは、脳の回路はつねに変化しつづけるってこと。

　子どもの脳ほどその可能性は大きく、年齢とともにこの力は薄れていく。だけど、粘り強く熱心に脳に「お願い」すれば、大人でも目覚ましい結果を得たケースがあることが、いくつも報告されている。（131ページ）

　きみたちが大人になっても、ちゃんと練習すれば、いつまでも新しいことを習得することができる。脳の可能性は無限大なんだ。そのためには、いろいろなことに興味をもって、新しいことにチャレンジしつづけて、脳をやわらかく、しなやかにきたえておかなくちゃいけない。輝かしい未来も、ぜんぶきみの脳がつくっていくものなんだから。さあ、ともに一歩を踏みだそう！

脳神経科学者　毛内拡

著

ピエルドメニコ・バッカラリオ

児童文学作家。1974年、イタリア、ピエモンテ州生まれ。著書は20か国以上の言語に翻訳され、全世界で200万部以上出版されている。小説のほか、ゲームブックから教育・道徳分野まで、手がけるジャンルは多岐にわたる。邦訳作品に、『ユリシーズ・ムーア』シリーズ（学研プラス）、『コミック密売人』（岩波書店）、『13歳までにやっておくべき50の冒険』（太郎次郎社エディタス）など。

フェデリーコ・タッディア

ジャーナリスト、放送作家、作家。1972年、ボローニャ生まれ。あらゆるテーマについて、子どもたちに伝わることばで物語ることを得意とする、教育の伝道者でもある。子ども向け無料テレビチャンネルで放送中の「放課後科学団」をはじめ、多彩なテレビ・ラジオ番組の構成・出演をこなす。P・バッカラリオとの共著に『世界を変えるための50の小さな革命』（太郎次郎社エディタス）がある。

監修　ルカ・ボンファンティ

トリノ大学獣医解剖学教授、同大学付属カヴァリエーリ・オットレンギ神経科学研究所（NICO）研究員。1962年、トリノ生まれ。幹細胞と脳の可塑性との関係を25年以上にわたって研究し、最高の脳の働かせ方や、壊れた脳の治し方を追求しつづけている。国際的な学術誌に多くの論文を発表する一方で、一般向けの科学教育にも力を注いでいる。著書に『科学のトリセツ メディアが伝えるウソの科学』など。

絵　クラウディア・ペトラッツィ

イラストレーター、漫画家。1985年、イタリア、トスカーナ州生まれ。画家だった祖母の影響で、鉛筆と紙を手に育つ。国内外の出版社でイラストレーターとして活躍し、2020年には初のグラフィック・ノベル『クララと影』を出版。

日本版監修　毛内拡（もうない・ひろむ）

脳神経科学者、お茶の水女子大学基幹研究院自然科学系助教、博士（理学）。1984年、北海道生まれ。専門は、神経生理学、生物物理学。「脳が生きているとはどういうことか」をスローガンに研究を続ける。小学生の子どもをもつイクメン研究者。趣味は、わざと道に迷うこと。単著に『脳を司る「脳」』（講談社ブルーバックス）、分担執筆に『ここまでわかった！ 脳とこころ』（日本評論社）など。

訳　有北雅彦（ありきた・まさひこ）

作家、演出家、翻訳家、俳優、進路指導講師。1978年、和歌山県生まれ。映画や文学などのイタリア文化を紹介する会社「京都ドーナッツクラブ」所属。著書に『あなたは何で食べてますか？』（太郎次郎社エディタス）、訳書にピエルドメニコ・バッカラリオほか著『13歳までにやっておくべき50の冒険』シリーズ（太郎次郎社エディタス）など。

いざ! 探Q ②

頭のなかには何がある?
脳をめぐる15の疑問

2022年2月15日 初版印刷
2022年3月15日 初版発行

著者 ピエルドメニコ・バッカラリオ
フェデリーコ・タッディア
監修者 ルカ・ボンファンティ
イラスト クラウディア・ペトラッツィ

日本版監修者 毛内拡
訳者 有北雅彦
デザイン 新藤岳史
編集担当 漆谷伸人
発行所 株式会社太郎次郎社エディタス
東京都文京区本郷3-4-3-8F 〒113-0033
電話03-3815-0605 FAX03-3815-0698
http://www.tarojiro.co.jp

印刷・製本 大日本印刷

定価はカバーに表示してあります
ISBN978-4-8118-0672-3 C8047 NDC491

Original title: Cosa c'è nella mia testa?
By Pierdomenico Baccalario • Federico Taddia
with Luca Bonfanti
illustrations by Claudia Petrazzi
© 2021 Editrice Il Castoro Srl viale Andrea Doria 7, 20124 Milano www.editriceilcastoro.it info@editriceilcastoro.it
Scientific consultant: Federico Luzzati, Assistant Professor of Comparative Anatomy and Cytology at the University
of Turin, and researcher at the university's Neuroscience Institute Cavalieri Ottolenghi (NICO). We would like to
thank Elisa Papa, development psychologist, and Maria Cristina Daniele, surgeon, for their collaboration as well.
From an idea by Book on a Tree Ltd. www.bookonatree.com
Project management: Manlio Castagna (Book on a Tree), Andreina Speciale (Editrice Il Castoro)
Editor: Maria Chiara Bettazzi
Editorial management: Alessandro Zontini
Collaborazione alla stesura dei testi: Andrea Vico
Graphic design and layout by ChiaLab